Quase Rivais

— Sabe que nos chamam de Romeu e Julieta?

— Existe uma versão da história em que eles vivem felizes para sempre em vez de morrer?

— Não que eu saiba.

— Então, acho que ela merece ser escrita.

J. STERLING

Quase Rivais

Tradução:
Ricardo Lelis

COPYRIGHT © 2019 BY J. STERLING
COPYRIGHT © FARO EDITORIAL, 2020

Todos os direitos reservados.
Nenhuma parte deste livro pode ser reproduzida sob quaisquer meios existentes sem autorização por escrito do editor.

Diretor editorial PEDRO ALMEIDA
Coordenação editorial CARLA SACRATO
Preparação ELIANA MOURA
Revisão BARBARA PARENTE
Capa e diagramação OSMANE GARCIA FILHO
Imagens de capa LOOK STUDIO | SHUTTERSTOCK

Dados Internacionais de Catalogação na Publicação (CIP)
(Câmara Brasileira do Livro, SP, Brasil)

Sterling, Jenn
    Quase rivais / Jenn Sterling ; tradução de Ricardo Lelis. — São Paulo — Barueri, SP : Faro Editorial, 2020.

    Título original: Bitter Rivals
    ISBN 978-65-86041-14-9

    1. Ficção norte-americana 2. Ficção policial I. Título II. Lelis, Ricardo

20-2010   CDD-813.6

Índice para catálogo sistemático:
1. Ficção norte-americana   813.6

1ª edição brasileira: 2020
Direitos de edição em língua portuguesa, para o Brasil, adquiridos por FARO EDITORIAL

Avenida Andrômeda, 885 – Sala 310
Alphaville – Barueri – SP – Brasil
CEP: 06473-000 – Tel.: +55 11 4208-0868
www.faroeditorial.com.br

Para minha mãe, que nunca hesita em me dizer quão orgulhosa ela é de mim, entende quão duro eu trabalho e afirma amar tudo o que eu escrevo. Seu apoio e crença em mim são inestimáveis. Obrigada.

Quase Rivais

MEU ARQUI-INIMIGO

Se o amor é cego, nunca acerta o alvo.
ROMEU E JULIETA DE WILLIAM SHAKESPEARE

— OLHE O NÚMERO DE MULHERES BAJULANDO ELE — DIZ minha assistente e melhor amiga, com a cabeça balançando enquanto aponta o dedo para o meu arqui-inimigo do outro lado da sala. — Estou realmente envergonhada de ser mulher agora.

Empurro o braço dela para baixo antes que ele note e faça algo humilhante em resposta, tipo falar que eu sou apaixonada por ele ou algo assim. Eu não ficaria surpresa se ele fizesse isso. James adora me envergonhar... Ele faz isso desde o colegial.

— Jeanine! Não chame atenção! Não quero olhar para ele ou para o fã-clube dele — eu falo mesmo sendo mentira, e ela sabe muito bem disso.

James cresceu e se tornou um homem deslumbrante. E eu com certeza queria dar uma olhada nele, talvez até me perder em uma fantasia ou duas, mas não posso admitir essa parte. Ao menos, não em voz alta... Eu devo odiar sua existência. Desprezar James é tão parte do meu DNA quanto meu cabelo escuro e minha herança italiana.

— Claro que você quer olhar para ele — ela me provoca. — Talvez então você note com que frequência ele olha para você.

Girando no meu salto alto novo, eu me viro para encarar minha melhor amiga.

— James não olha mais para mim do que eu olho para ele. Nós nos odiamos e você sabe disso. Ele é o pior ser humano do mundo. Se existisse um prêmio para isso, ele ganharia. Por que você está falando essas coisas? Você está bêbada?

Olho em volta dela para o nosso estoque de garrafas de vinho no chão verificando se não há nada vazio.

Se alguém sabe quanto James e eu não nos suportarmos, é Jeanine. Ela cresceu com a gente e tem plena consciência da guerra entre nossas famílias. Embora, às vezes, me acalme com insultos sutis sobre James, geralmente ela faz o papel de pacificadora — ou pelo menos tenta.

— Eu só me pergunto quando vocês vão abaixar as armas — diz ela pela milionésima vez desde que nascemos.

— Nunca — digo, dando a mesma resposta de sempre.

Abaixar as armas não é uma opção na minha família. Mesmo se eu quiser — o que eu não quero —, isso não seria permitido. Meu pai me deserdaria por completo e me faria mudar meu sobrenome antes que ele perdoasse um Russo.

Resolvo observar James. Seu cabelo escuro destaca sua barba enquanto ele sorri para um grupo de mulheres que, em vez de trabalhar em seus próprios estandes de vinho, parecem dispostas a levá-lo para a cama. Não que eu me importe com o que James faz em sua cama ou com quem... mas passei muitas noites sonhando como seria se ele mergulhasse entre minhas coxas ou me beijasse. E a barba dele... sempre perfeitamente aparada. Isso me incomoda tanto quanto me excita, o que diz muito, uma vez que ele é o ser humano mais chato que existe.

— Você está com uma babinha aí. — Jeanine me cutuca com o braço, apontando para o canto da minha boca, e eu rosno.

— Só estou me perguntando por que ele continua a vir para essas coisas quando sabe que vai perder. Você acha que ele vem para conhecer mulheres? — Pego uma caixa de vinho e começo a tirar as garrafas para que Jeanine encha as taças.

Ela ri tanto da minha pergunta que até se engasga.

— Como se ele precisasse vir até aqui para conhecer mulheres. Além disso, a única mulher que ele quer é você. Por que acha que ele nunca ficou em um relacionamento sério antes? Provavelmente pelo mesmo motivo que todos os seus falharam.

Sinto como se minha cabeça fosse explodir com a revelação.

— Do que é que você está falando? — Olho para a minha amiga como se duas cabeças tivessem surgido nela. — Meus relacionamentos não falharam — digo meio na defensiva. — Não é minha culpa se todo cara que eu namoro parece estar mais interessado na minha vinícola do que em mim.

— Você nem dá uma chance para eles. Eles estão fora da corrida antes mesmo de começar a correr. Uma palavra errada e você já dá uma cortada. E nós duas sabemos que isso é porque você quer o único cara que não pode ter. Você só é teimosa ou medrosa demais para admitir isso.

Minha boca se fecha em resposta, querendo argumentar, revidar, mas sem saber o que dizer. Então, conduzo o assunto para longe de mim e de volta para *ele*.

— James nunca teve um relacionamento sério? Do que você chama a Maria? E quando ele namorou aquela menina de Seattle no ano passado?

Lembro de quando soube de sua namorada e do ciúme que senti. Meu estômago revirava ao pensar que, se James estava namorando alguém de fora do estado, isso significava que ele estava em um relacionamento sério. Minha imaginação foi longe enquanto eu me preparava para a notícia de que eles estavam noivos. Fiquei aliviada quando soube que haviam terminado.

— Maria durou *imensos* seis meses. Isso não é relacionamento longo. Além disso, eu ouvi que, no instante em que ela quis mais e começou a pressioná-lo, ele terminou com ela e nunca olhou para trás. E a menina de Seattle foi só isso — uma menina tão distante, que ele nunca teve que se comprometer inteiramente com ela. O cara está te esperando, do jeito que sempre esteve.

Foi a minha hora de engasgar-me de tanto rir.

— O cara provavelmente só quer roubar minhas receitas e entrar na minha cabeça para ver como eu tenho ideias e com qual vinho vou me inscrever neste ano para poder copiá-lo para a competição do mês que vem.

É um Chianti 2012 com pitadas de canela, por sinal. Isso nunca foi feito na nossa região, e eu trabalhei muito para alcançar a perfeição. James não pode copiar meu vinho nem se tentar.

— Você é louca — diz Jeanine. — Mas, de volta à questão original, nós duas sabemos que James vem porque é o trabalho dele e ele tem que vir. Assim como você também tem — diz ela, um pouco sarcástica demais para o meu gosto.

Eu sou o rosto da Vinhos La Bella. Não literalmente... Meu rosto não está estampado no logo da empresa ou nos rótulos de vinho, mas, quando se trata de marketing, feiras, eventos beneficentes e competições, eu sou a pessoa que vem à cabeça quando se pensa na premiada vinícola da minha família. Do mesmo modo que James Russo é o rosto da sua vinícola menos premiada.

Enquanto eu me concentro em trazer algo diferente para a Vinhos La Bella a cada temporada, James parece satisfeito em pegar o segundo lugar ano após ano. Ele já devia estar acostumado com isso, mas aquele homem nunca desiste. Sempre que a temporada de competições se repete, ele me ataca com cutucadas verbais, testando minha paciência e jurando que o vinho dele superará o meu. Nunca aconteceu. E nunca acontecerá. Não enquanto eu estiver viva.

— Eu não tenho que fazer isso. Eu escolho vir — lembro Jeanine enquanto tiro as rolhas de várias garrafas.

— Bem, James também não. Ele também não tem que vir. Ele quer vir.

Ela realmente o está defendendo para mim neste momento?

— Desde quando você sabe tanto sobre a vida pessoal e as opiniões do James?

Impulsos elétricos disparam pelo meu corpo e minha barriga se tensiona com o pensamento de que minha melhor amiga e meu inimigo possam estar se encontrando pelas minhas costas.

— Vocês dois... — Eu não posso nem terminar a pergunta sem querer vomitar diante dessa traição.

— O quê? Não! Como se eu fosse fazer isso com você! — exclama ela.

Sinto meu corpo relaxar.

— Certo. Você não namoraria meu inimigo porque sabe que eu teria que demiti-la e nunca mais falar com você.

Ela finalmente começa a fazer o trabalho dela, enchendo as taças vazias antes de colocá-las perfeitamente alinhadas na mesa.

— Não, Julia. Eu nunca namoraria o James porque, não importa o que você diga para si mesma ou para mim, eu sei que você sente algo por ele. Eu jamais faria isso com *você*.

Meu rosto pega fogo... minhas bochechas esquentam de raiva ou vergonha — eu não tenho certeza do sentimento correto. Jeanine sabe que, apesar da desaprovação da minha família, eu me sinto atraída por James desde a adolescência. Eu só me permiti assumir isso em voz alta para ela uma vez, mas aquela única oportunidade aparentemente era tudo de que ela precisava, já que gosta de jogar isso na minha cara de vez em quando.

— Eu não — gaguejo — sinto nada por esse idiota.

— Aham... — Ela revira os olhos para mim com uma taça de vinho em uma mão enquanto, com a outra, me entrega uma até a metade.

Cada uma de nós rodopia o líquido duas vezes antes de levantá-lo até o nariz e bebericar lentamente. O gemido que escapa dos meus lábios é incontrolável. Está uma delícia, realmente bom, tipo bom como *a caminho de ganhar novamente o primeiro lugar*. Eu espero ganhar novamente, mesmo nada sendo garantido nesse negócio.

— Isso é maravilhoso. Como você faz?

Encolho os ombros.

— Ciência — digo com um sorriso, porque é meia verdade.

Fazer vinho *é* uma ciência delicada, mas é também instinto e boa vontade para pensar fora da caixa e tentar coisas novas. A maioria das vinícolas locais estava presa às antiquadas combinações de vinho testadas e aprovadas, que praticamente eram garantia de sucesso. Muito poucas tinham a capacidade de se arriscar a tentar novas combinações de sabores sem o medo de perder tudo ou, pelo menos, de ter um grande impacto na sua margem de lucro. Eu entendia as preocupações delas, especialmente quando todo o seu sustento dependia de seus vinhos.

Anos atrás, convenci meus pais a reservar uma pequena porção de nossos barris de fermentação para meus experimentos. Eles só concordaram porque eu lhes disse que, se pudesse criar uma nova mistura de sabores, poderíamos produzi-la e comercializá-la como uma edição limitada, para jamais ser recriada da mesma forma. Eu os informei que isso faria o vinho voar das prateleiras e que tornar qualquer coisa uma *edição limitada* instantaneamente agrega valor. Eu só fiz um único pedido formal: eles *tinham* que me deixar usar as uvas das nossas videiras do lado sul.

O lado sul era a única parte da nossa vinícola que francamente não fazia sentido, e nunca entendemos como as videiras tinham sequer sido plantadas lá em primeiro lugar. Meu bisavô deve ter ficado louco quando teve essa ideia. A terra de La Bella era composta de suaves colinas onduladas, mas havia uma pequena porção que tinha uma queda acentuada, tornando extremamente difícil a colheita. Era basicamente um penhasco.

Aquela porção de terra produzia nossas melhores uvas. Por alguma razão, aquela colina íngreme ficava exposta a um tipo de clima diferente. O sol parecia brilhar por mais tempo ali, e a chuva tendia a cair com mais força. Em compensação, o resultado era um solo de material ligeiramente diferente, e as uvas eram distintas de qualquer outra uva. Ninguém era capaz de replicar o que tínhamos criado com as videiras do lado sul e, acredite em mim, as pessoas tentavam. Sempre supus que não se pode replicar o que a Mãe Natureza lhe dá, mas eu nunca as culpei por tentarem. Essas videiras foram as que continuaram ganhando todos os prêmios, muito antes de eu começar a fazer experimentos com elas. As videiras do lado sul colocaram a Vinícola La Bella no mapa, mas sem elas nós ainda seríamos um sucesso.

— Realmente gosto de como você pode sentir o aroma da canela antes de saboreá-la. É como se o seu nariz soubesse que ela está lá antes do seu paladar.

Sorrio, porque esse era exatamente o meu plano — tornar o cheiro conhecido, mas só reconhecido muito depois de você engolir. A harmonização de vinhos e comidas era parte integrante da administração de uma vinícola, e era algo que eu respeitava e sobre o qual passava muito tempo pesquisando para nossos clientes e negócios. Tínhamos um cardápio na nossa sala de degustação projetado especificamente para o vinho e a harmonização com a comida — o mais popular era o que trazia o que beber com quais diferentes tipos de chocolates e queijos.

Durante a minha pesquisa, encontrei um artigo sobre uma vinícola em outro país que colocava sabores em seus vinhos, e me perguntei por que não estávamos fazendo isso. Foi quando surgiu o meu desejo de experimentar. Mas, em vez de colocar vários sabores no vinho tais como eles eram, eu quis só um — um sabor perfeitamente infundido com um tipo de vinho singular. Acreditei que menos era mais, que a gente já tinha o suficiente na vida para sobrecarregar nossos sentidos. O vencedor do ano passado foi uma edição limitada de Vinho do Porto rico em chocolate amargo.

— Fico feliz que você tenha gostado — digo enquanto Jeanine se serve de outra taça.

— Não gostei. Eu amei — diz ela, terminando o vinho. — Você tem alguma nova informação de guerra?

— O.k., isso é o suficiente para você. — Pego a garrafa de suas mãozinhas gananciosas, e ela faz beicinho. — Você me pergunta isso toda vez que vemos o James — reclamo, irritada por ela insistir em questionar a rixa de décadas em vez de aceitá-la como eu a tinha aceitado.

Jeanine sabe que se eu tivesse qualquer informação nova sobre nossa rivalidade já teria contado.

— Só acho que, se você deve odiar alguém com base apenas no sobrenome da pessoa, deve pelo menos conhecer cada um dos motivos. Você percebe que tudo isso está estranhamente próximo a *Romeu e Julieta*? Vocês dois são até italianos!

— Então eu sou o que nesse cenário? Julieta? E o James é o Romeu? — Dou uma risada doentia. — Suponho que você é a minha aia? Obrigada por me deixar morrer, a propósito — continuo a provocá-la.

Meus pais se recusavam a falar em detalhes sobre o que havia acontecido entre nossas duas famílias. E meu pai praticamente explode toda vez que eu insinuo querer saber mais do que já haviam me contado.

— Não é suficiente que eu lhe conte que a família dele quase arruinou a nossa? Por que você não consegue aceitar que eles são ruins e que, se eles pudessem, assumiriam as nossas vinhas no segundo em que déssemos as costas para eles? Fique longe daquele menino Russo!

Ele sempre terminava seu discurso com um aviso para eu ficar longe de James e me fazia prometer que eu ficaria. Ele me dissera em mais de uma ocasião que nada neste mundo poderia decepcioná-lo mais do que eu fazendo amizade com James e que, se isso acontecesse, ele me deserdaria por completo e eu perderia a vinícola.

Essa era uma cruz muito pesada de carregar. Uma que eu nunca confessava nem à minha melhor amiga. Eu mantive aquela informação dentro de mim, envergonhada demais para admitir isso a qualquer pessoa, até mesmo para minha mãe. Parecia uma espécie de traição ao meu pai repetir aquilo em voz alta, especialmente quando ele se sentia tão afetado pelo assunto. Em vez disso, eu deixei suas palavras se tornarem parte de mim, um peso insuportavelmente pesado no início, mas que, com o tempo, tinha se tornado administrável. James era o demônio que poderia me fazer perder a vinícola e tudo pelo que eu tinha trabalhado a minha vida inteira. Ninguém valia aquilo. Fim da história.

— Agora que já somos mais velhas, você nunca se perguntou por que deve odiá-lo? Perguntou o suficiente para obter respostas reais? Vocês dois merecem a verdade, não? — Jeanine me pressiona, como sempre.

Não que eu não quisesse saber; mas eu simplesmente aceitava o fato de que talvez nunca soubesse, e tinha me convencido de que estava bem com isso. Embora toda a nossa pequena cidade soubesse da rivalidade, ninguém nunca se atrevia a elaborar sobre ela. Eu não tinha certeza de quem eles tinham mais medo — se do meu pai ou do pai de James. Toda vez em que eu perguntava a alguém que eu achava que conhecia os detalhes, sempre me diziam não se lembrar ou que eu devia perguntar aos meus pais. Até mesmo o velho Johnson da loja de bebidas dizia que a história das nossas famílias era tipo folclore, transmitida de geração em geração, e que eu não podia confiar em nada que dissessem sobre isso. Eu não podia argumentar com essa lógica, então eu finalmente parei de tentar.

Solto um gemido antes de dirigir minha atenção novamente para James.

— Ele é um idiota teimoso. Ele é arrogante e egoísta, e acha que o mundo gira em torno dele. Isso é razão suficiente para mim. Que tal aquele boato que ele espalhou sobre mim no ensino médio? Não posso nem olhar pra ele sem querer arrancar seus olhos por causa daquilo.

— Isso foi há cem anos. E eu ainda acho que ele fez de propósito — responde ela suavemente, como se estivesse com medo da minha reação.

— É claro que ele fez de propósito! Ele queria arruinar a minha vida — praticamente grito.

No primeiro ano do ensino médio, James disse pra todo mundo que eu tinha feito sexo com ele. Não só sexo, mas que eu tinha perdido a virgindade com ele.

No começo eu ri, pensando ingenuamente que, uma vez que todos sabiam quanto eu e James nos odiávamos, ninguém jamais acreditaria nisso. Mas acreditaram. Cada pessoa acreditou em James e, depois dessa mentira, nenhum garoto me chamou para sair ou mesmo olhou para mim de relance. Foi devastador para uma garota de 16 anos ter aquele tipo de coisa sendo dita sobre ela.

Foi ainda pior quando eu confrontei James, pedindo que ele retirasse aquela mentira e contasse a verdade. Ele sorriu maliciosamente para mim antes de me dizer "Não", como se aquilo fosse o fim da conversa.

E, de fato, foi. Eu estava muito envergonhada para falar sobre isso de novo, e ele estava muito satisfeito por arruinar minha reputação. Foi uma coisa absurda — a palavra de uma garota contra a de um cara. Por que ninguém nunca acredita na garota quando há sexo envolvido?

CONFISSÕES DE BÊBADA

Será que o meu coração realmente tinha amado até agora? Pois eu nunca vi beleza tão pura até esta noite.

ROMEU E JULIETA DE WILLIAM SHAKESPEARE

OLHAR PARA JULIA ERA COMO OLHAR PARA O SOL. EU NÃO conseguia olhar por muito tempo porque começava a doer. Sim, eu sabia que era uma comparação brega, mas a mulher era uma deusa. Ela sempre tinha sido.

Aprendi a definição de *bonita* na primeira vez que a vi quando ainda éramos crianças. Uma parte de mim se apaixonou, mesmo que ela me odiasse e não suportasse estar perto de mim. Eu não a culpei. No segundo em que descobrimos um sobre o outro, fomos criados para nos desprezar. Eu nunca fui bom em seguir as regras, especialmente aquelas que não fazem sentido.

Eu tinha certeza de que, se Julia pudesse me assassinar e safar-se da culpa, ela ao menos tentaria. O olhar de morte com o qual ela me penetrava agora apenas aumentava meus sentimentos sobre o assunto. Sua melhor amiga, Jeanine, no entanto, tentaria impedi-la. Eu não sabia o que tinha feito para atrair o lado bom de Jeanine, mas sempre era grato por isso.

— Eu realmente preciso trabalhar, senhoras. Tenho certeza de que vocês precisam fazer o mesmo. — Mostro um sorriso encantador para o grupo de mulheres que se reunia em volta do meu estande e se recusava a sair.

Não importava quão desinteressado eu parecesse, elas não desistiam nem iam embora. Eram implacáveis.

— Vemos você depois da competição — ameaçam todas elas antes de se dispersarem.

Lancei outro olhar para Julia, e minha respiração ficou presa na garganta. Ela sempre tinha me afetado dessa maneira, e havia uma boa chance de que sempre fosse me afetar.

Ser criado não só para odiar, mas também para ficar longe da única garota que estrelara todas as minhas fantasias de adolescente tinha sido a desgraça da minha existência. Você tem alguma ideia de como é difícil "ficar longe" da garota da porta ao lado?

Quero dizer, literalmente.

A linha divisória da minha propriedade termina onde começa a dela. Acres de vinhas dividem a Vinícola La Bella da dos Russos, mas não nossas casas. Você pensaria que, com toda essa terra, nossos bisavós teriam construído as casas principais para ter algum isolamento e privacidade, mas não: os idiotas praticamente construíram uma em cima da outra.

E a pior parte? Eu cresci vendo, do meu quarto, a janela do quarto da Julia. Como eu ia deixar de me apaixonar pela garota se ela nunca deixava minha linha de visão? E então houve noites em que eu jurei que ela tinha deixado as cortinas abertas de propósito para que eu pudesse vê-la se despindo para dormir. Ela me torturou de todas as maneiras possíveis, mas nunca cedeu, nunca cruzou a linha invisível que nos separava, embora, na época, eu apostasse a minha vida que ela queria isso tanto quanto eu.

Foi por isso que eu comecei a chamar garotas para irem em casa e me certificar de que Julia as veria no meu quarto comigo. Surtei uma noite depois de pegá-la olhando da sua janela para a minha. Era justo o que eu queria, mas ela realmente parecia magoada. Pensei nela fazendo exatamente a mesma coisa em retaliação, e eu teria merecido, mas a ideia de ver Julia com algum perdedor arrogante da nossa escola me irritou profundamente. Minhas entranhas se contorceram em uma raiva ciumenta com o simples fato de pensar nas mãos de outro cara tocando qualquer parte da sua pele ou estando em lugares nos quais eu era proibido de entrar. Eu parei de levar meninas para casa naquela noite.

— Você vai ficar sentado aí sonhando acordado o dia todo ou vamos servir esse vinho? — Meu melhor amigo, Dane, aparece do nada e me dá um tapinha nas costas.

Eu não tinha ideia de quanto tempo ele estava ali...

— Eu não estava sonhando acordado — falo pegando uma garrafa de forma um pouco agressiva demais, derramando um pouco do líquido para fora do gargalo.

— Rememorando algo, sonhando acordado, fantasiando... — Ele encolhe os ombros enquanto limpa minha bagunça, seu cabelo loiro caindo sobre os olhos. — O que você quiser chamar.

Eu poderia continuar a mentir para ele, mas era inútil. Dane era o único que sabia o que eu sentia por Julia.

— Eu estava só me lembrando de coisas.

— Então você *estava* rememorando algo — diz ele com um tom de sabichão. — Qual parte estamos revivendo desta vez? Ah! Eu sei! — Ele levanta a mão como se estivesse esperando que eu lhe pedisse ajuda. — Confissões de bêbada no vinhedo. Você sabe que essa é a minha favorita.

— É claro que a noite mais humilhante e dolorosa da minha vida seria a sua favorita. Como podemos ser amigos?

— Para que conste, eu estava sendo sarcástico — ele diz as palavras com uma lentidão ridícula, como se eu fosse algum homem das cavernas que não conseguia compreendê-las. — E eu só mencionei esse momento porque sei que é com ele que você mais gosta de se torturar.

Ele não estava errado. Eu estava chegando a essa cena antes de ele me interromper com sua presença.

— Eu só preciso do lembrete às vezes.

— O lembrete de que ela finge que te odeia?

— O lembrete de que ela realmente me odeia.

— Você e eu sabemos que isso é papo-furado. Você poderia tomar coragem e dizer a ela como se sente — ele sugere como se fosse simples.

— Eu nunca vou fazer isso de novo — digo um pouco amargo demais, com a memória ainda fresca.

— Vamos, James. Aquela noite foi há muito tempo, e ela estava bêbada. Vocês dois são adultos agora. Ou pelo menos fingem ser.

— Não é uma boa ideia — digo isso em vez de dizer o que de fato me preocupa: *E se ela me rejeitar de novo?*

<hr/>

Uma porta bateu ao longe e eu olhei pela minha janela para ver Julia caminhando em direção ao seu vinhedo com várias garrafas de vinho nos braços.

— O que ela está fazendo? — eu me perguntei.

Eu a observei, focando em cada movimento, cada passo. Antes de mergulhar em uma fileira de videiras exuberantes, ela se virou e olhou diretamente para a janela do meu quarto. Nossos olhos se encontraram e ficaram fixos... ela parou por um tempo que pareceu uma eternidade antes de se virar e desaparecer de vista.

Isso foi intencional ou eu a surpreendi me observando? Isso foi um convite para segui-la? O que significa? O que ela queria?

Eu não tinha ideia, mas me sentei no meu quarto tentando entender por muito tempo antes de decidir lidar com isso e encontrá-la. Aquela seria a noite em que eu finalmente confessaria a Julia que nutria sentimentos por ela e que não estava nem aí para nossos pais.

Fugir da minha casa foi fácil, mas tentar encontrar Julia foi um saco. Eu não estava familiarizado com a propriedade dela, e tentar encontrar o caminho me fez sentir como se fosse um rato cego em um labirinto.

— O que você quer, Russo? — sua voz me levou diretamente até ela. A garota tinha quatro garrafas de vinho ao lado dela, e aparentemente estava bebendo todas.

— O que você está fazendo?

Ela encolheu os ombros.

— Imaginei que, se eu for administrar este lugar algum dia, poderia muito bem tentar gostar dessa coisa. — Ela tomou um gole da taça e franziu o nariz. — É tão nojento. Como as pessoas bebem isso?

Eu ri, porque tinha a mesma reação toda vez que também era forçado a experimentar nosso vinho.

— Ouvi dizer que é um gosto adquirido com o tempo — disse quando me sentei diante dela.

— É o que também dizem sobre a cerveja. Não sei o que acha, mas, se alguma coisa é "um gosto adquirido com o tempo" — disse fazendo aspas no ar —, acho que significa que é uma droga.

— Quanto você já bebeu?

— Por que se importa? — retrucou, e eu soube que ela estava alta.

— Eu me importo porque... — parei, quase nervoso demais para responder honestamente.

Ela tomou outro gole de vinho e se contraiu, acenando com a mão para eu continuar.

— Por que o quê?

Merda. Aqui vai tudo, pensei comigo mesmo antes de vomitar todas as palavras sobre ela.

— Porque eu gosto de você. Sempre gostei de você, Julia. Desde o momento em que te vi pela primeira vez — eu disse, um pouco sincero demais para o meu próprio bem.

— Quando tínhamos 4 anos. Eu me lembro. Mas o que você está dizendo agora? Você está se ouvindo? — Seu tom soava quase ofendido, o que não fazia sentido.

— É claro que estou me ouvindo. — Deslizei pela terra para perto dela, para que pudesse tocá-la, se deixasse. — Estou lhe dizendo que eu gosto de você.

Peguei sua mão que estava apoiada no joelho, mas ela a puxou para longe.

— Você não gosta de mim, Russo. Você gosta de desafio. Você gosta das coisas que acha que não pode ter.

— Está falando sério? — Foi a minha vez de me sentir ofendido.

Seu olhar ficou na mesma altura que o meu.

— Sim, sério. Você não gosta de nada que venha muito fácil. Nunca gostou. Por isso você provavelmente acha que gosta de mim, mas na verdade não gosta.

— Você não pode me dizer como eu me sinto sobre você.

— Tanto faz. Tenho certeza de que isso é algum tipo de jogo. Dane colocou você nisso? Você fez algum tipo de aposta com seu estúpido time de basquete? — Ela começou a soluçar, mas isso não a impediu de continuar.

— Por que você não vai passar um tempo com uma das muitas garotas que eu tenho visto no seu quarto ultimamente?

— Julia, olha para mim — implorei, e seus olhos vidrados encontraram os meus. Eu não deveria estar fazendo isso enquanto ela estava bêbada, mas era agora ou nunca. — Sinto algo por você. Queria que esse sentimento fosse embora, mas ele não vai. Ele nunca foi. Nem nunca irá.

Ela começou a rir e não conseguia parar. Fiquei desconfortável e, logo antes de me levantar, ela disse:

— Sentimento? Você realmente sabe o que é sentimento? Tenho certeza de que não. Eu te odeio, Russo. Não quero nada com você. Nunca vou querer.

— Você realmente se sente assim? Você genuinamente me odeia? E não apenas porque nossos pais nos disseram para fazer isso? — Meu coração parecia uma pedra dentro do peito, de repente pesado demais, incômodo demais enquanto eu esperava pela resposta dela.

— Não por causa dos nossos pais. Eu realmente me sinto assim. — Ela engoliu em seco, evitando contato visual comigo.

— Você nunca pensou em como seria estarmos juntos?

— Por que eu pensaria em estar com você?

Sem responder à pergunta dela, fui embora. Acreditei quando disse que me odiava. E acreditei quando disse que não queria nada comigo. Mas não podia lidar com isso. Ela arrancou meu coração, jogou no chão e pisou nele sem pensar duas vezes. A rejeição ardia. Mais que isso, doía pra cacete. Cada batida do meu coração me lembrava que ela não me queria; ela jamais ia me querer, e eu fui um tolo por pensar que sim.

Por que eu me expus dessa forma?

Jurei que nunca mais faria isso. Não por Julia nem por nenhuma outra garota.

Dane estala os dedos na frente do meu rosto e eu balanço a cabeça.

— Sim, sim. O quê?

— Confissões de bêbada? — pergunta um pouco convencido demais, já sabendo a resposta.

— Talvez.

Não tinha ideia de como fazer com que Julia parasse de me odiar e de me julgar por algo do qual eu nem sequer participei. Eu não tinha nem nascido quando nossos bisavôs fizeram aquela aposta estúpida que arruinou a vida das nossas famílias. Eu não tinha nada a ver com isso, e ela também não. No entanto, Julia me desprezava como se eu tivesse queimado seus vinhedos com minhas próprias mãos.

A parte mais irônica era o fato de que a família dela havia ganho a aposta. Então, se alguém tinha que odiar alguém, era eu. Eu tinha todo o direito. Em vez disso, tudo o que eu conseguia pensar era em colocar minhas mãos debaixo daquela saia que ela usava e mergulhar meus dedos dentro dela. Sonhei muitos anos imaginando como Julia se sentiria com o meu toque. Eu salivava só de pensar em como devia ser o gosto dela. Aposto que era tão doce quanto o vinho que ela fazia.

— Você está apaixonado por ela desde que vocês tinham 5 anos.

— Quatro — corrijo. Se o filho da mãe ia começar a falar de tempo, que fosse o tempo certo.

— O quê? — Ele olha para mim, confuso.

— Sou apaixonado por ela desde que tinha 4 anos. Minha festa de aniversário, lembra-se? Foi a primeira vez em que a vi — explico como se ele não estivesse lá ao meu lado naquele dia.

Nossas famílias fizeram de tudo para nos separar desde o nascimento. Eu não fazia ideia de como nunca tínhamos nos visto antes daquele dia, mas até então não tinha noção de que havia outras crianças por perto, a não ser a quilômetros. Alguém deve ter se descuidado no meu quarto aniversário, porque Julia saiu correndo da casa dela com um vestido rosa brilhante e o cabelo em duas tranças quando acenou para mim como se fôssemos amigos perdidos havia tempos, antes de seu pai envolver os braços em volta da sua cintura e puxá-la de volta para dentro da casa, chutando e gritando.

Nossa vida se cruzou naquela manhã, e ainda não se desvinculou.

— Sim, você me perguntou se eu também podia ver o anjo, ou se era só você quem podia vê-lo — Dane repete a história que está gravada no meu cérebro.

Solto uma risada suave.

— E você disse que não tinha visto anjo algum, mas viu uma garota idiota.

Dane encolhe os ombros.

— Eu acho que, entre nós dois, a minha avaliação foi a mais acertada. Julia não é nenhum anjo.

— Cuidado — eu aviso.

Ele levanta as mãos, em sinal de derrota.

— Não atire no mensageiro. Eu só estou dizendo que ela não é nenhum anjo, isso é tudo.

Dane pega uma taça de vinho e manda para baixo em um só gole.

— Isso é bom. — Ele gira a taça entre os dedos antes de reabastecê-la e mandar para baixo pela segunda vez. — É realmente bom pra cacete.

— Eu sei.

— Acha que vai bater o dela? — Faz um aceno com a cabeça na direção de Julia.

Engulo seco quando olho para ela pelo que deve ser a milésima vez. Dou um suspiro rápido, forçando meus olhos para longe do corpo dela.

— Provavelmente não.

— Você vai parar de tentar? — Ele me olha de soslaio e eu não sei se está falando sério.

A vinícola estava no meu sangue. Fui preparado para assumi-la, para criar e produzir vinho das nossas videiras. Por mais que eu odiasse perder ano após ano, parar não era uma opção.

— Por que eu pararia de tentar?

— Por razão nenhuma. Só estou perguntando, isso é tudo. — Ele começa a dar as costas para mim, e eu agarro firme o seu ombro.

— Não, de verdade. Por que eu pararia de competir? Isso é o meu ganha-pão. Meu negócio. Minha carreira. Por que eu pararia de fazer o que amo? — Minha pressão sanguínea começa a subir enquanto meu pulso acelera.

— James, eu só estava perguntando. — Ele tira minha mão do seu ombro. — Você não precisa competir ano após ano para ter uma vinícola de sucesso, e nós dois sabemos disso. Essas competições são só um bônus, um distintivo na lapela, uma publicidade extra de que você nem mesmo precisa. Você já está administrando uma das vinícolas mais lucrativas do estado, com ou sem essa merda — diz acenando com a mão ao redor do espaço lotado.

Ele não estava errado. Eu não precisava fazer esse tipo de coisa. Mas eu queria. Era a única maneira de me aproximar dela. Eu sabia exatamente por que continuava entrando em cada uma das competições, e Dane também sabia. Se eu não fizesse isso, nunca veria Julia. Especialmente desde que ela saiu da casa principal e construiu um bangalô separado onde eu não podia mais vê-la. Sempre suspeitei que ela fez aquilo de propósito.

— Devo experimentar o vinho da diaba? Ver contra o que estamos trabalhando? — sugere ele com um sorriso malicioso, e minha pele começa a formigar.

— Você pode fazer melhor do que a chamar assim — digo com os dentes cerrados.

Na primeira vez em que ele chamou Julia de "diaba", ela o ouviu por acaso e começou a chorar. Dei um soco no estômago dele por causa disso. Nosso professor do 3º ano o forçou a se desculpar na frente de toda a classe, e eu também tive que pedir desculpas.

— Alguém já te disse que você está delirando? — ele pergunta, balançando a cabeça em descrença.

— Só você — digo como resposta, porque Dane era o único para quem eu sempre admitia alguma coisa.

Olhando de fora para dentro, eu odiava Julia assim como ela me odiava. Eu era petulante e agia de forma arrogante e às vezes até malvada. Era meu mecanismo de defesa; receber atenção por ser mau ainda era receber atenção, certo?

— Você não pode continuar fazendo isso consigo mesmo, cara.

— Fazendo o que exatamente?

— Esperar — diz ele, me dando um diagnóstico, como algum tipo de especialista no amor.

Levanto as sobrancelhas e inclino a cabeça.

— Não estou esperando. Tive dois relacionamentos sérios nos últimos dois anos. Estou tirando uma folga das mulheres agora até que a pessoa certa apareça. As mulheres são exaustivas.

Ele abaixa a garrafa de vinho que estava segurando na mesa antes de juntar as mãos numa pose de oração.

— O.k. Vou chegar lá. Nenhum desses relacionamentos foi "sério". — Suas mãos se soltam quando ele faz aspas no ar.

— Como é que com a Rebecca não foi sério? Ficamos juntos um ano — argumento.

— A Rebecca de Seattle foi uma brincadeira. Você nunca a viu. Isso só durou tanto porque ela ficou pensando que você mudaria. Uma vez que ela percebeu que você nunca mudaria, caiu fora. E, desde que ela se foi, você tem se enterrado na vinícola fingindo estar sobrecarregado, mas eu sei que é porque você está esperando por ela. Esperando o que exatamente eu não tenho ideia. Mas você ainda está esperando. E é doloroso de assistir, cara.

Quando foi que o idiota do meu melhor amigo se tornara tão observador?

— Acho que uma parte de mim sempre supôs que ela vai parar de me odiar e admitir o que sempre soubemos.

— Que é o que exatamente?

— Que há algo entre nós. Eu sei disso. Ela sabe disso. É inegável.

— Sim, é. Todo mundo pode ver isso. Mas você deveria dizer a ela de verdade como se sente — ele me encoraja —, antes que alguém mais vá atrás dela e você perca a sua chance. — Ele faz um sinal em direção a Todd Lestare, o diretor de marketing da Vinícola Lestare e meu ex-companheiro de basquete no colegial.

O ciúme mostra sua cara feia com força. Nunca confiei em Todd quando se tratava de Julia, e por um bom motivo. Ele sempre se demorava em torno do estande dela, sempre olhando para ela um pouco intensamente demais. Sem contar o fato de que ele queria Julia desde o colegial. Na época, fiz com que ele se afastasse dela. Não havia maneira de eu ter esse tipo de controle agora que éramos homens feitos. Eu odiava vê-lo com ela — a maneira como ele a fazia rir, como tocava o braço dela, como se tivesse todo o direito de fazê-lo. De todas as pessoas, se eu perdesse Julia para ele, jamais me perdoaria.

Respiro fundo, antes de me concentrar em Dane, uma nova confiança correndo em minhas veias.

— Acho que você pode estar certo.

A linguagem corporal de Dane se modifica de repente e seu rosto fica completamente animado.

— Mesmo? Você vai contar para ela? Vai contar a verdade?

— Se eu não o fizer, alguém vai, e isso de ficar sentado observando vai me destruir quando eu me der conta de que não fiz nada para impedir.

Seus olhos se arregalam.

— O.k. Então a *Operação Julia* está oficialmente de volta?

Eu ri do nome que tínhamos inventado no 7º ano, depois de nos convencermos de que poderíamos fazer Julia me beijar antes que a escola nos dispensasse para as férias de verão. Nós falhamos, e a operação foi cancelada — ou, pelo menos, pausada indefinidamente.

— Parece que sim. E desta vez vai funcionar.

Dane não parece convencido.

— Quer apostar?

— Você quer? — replico.

— As apostas não terminam bem na sua família — diz ele ao apertar minha mão e chacoalhá-la com força —, então eu seria um tolo se não apostasse.

PRIMEIRO LUGAR

Só ri de uma cicatriz quem nunca foi ferido.

ROMEU E JULIETA DE WILLIAM SHAKESPEARE

CINCO HORAS DEDICADAS A BUSCAR AGRADAR ÀS PESSOAS e tentar convencê-las, com muitos sorrisos, estavam finalmente chegando ao fim. Não é que eu não amasse essa parte do meu trabalho, mas estava exausta. Ser forçada a ficar *ligada* assim exigia demais de uma pessoa. A frase soava estúpida, sei disso, mas não tornava a situação menos verdadeira.

— Como você está aguentando? — Jeanine sussurra, enquanto as últimas poucas taças do nosso vinho vão desaparecendo.

Sorri antes de responder:

— Bem. Cansada.

— Eu sei. É exaustivo pra cacete. — Ela balança a cabeça e esfrega a nuca. — E eu não proporciono nem metade do entretenimento que você proporciona.

— Tudo é parte do trabalho. — Finjo uma reverência e desejo poder tirar meus sapatos. Assim que o vencedor for anunciado, eu os tirarei e colocarei na minha bolsa.

— Todd Lestare vai te chamar para sair de novo. Escutei por acaso algumas meninas falando no banheiro sobre ele e James.

Eu gemi e revirei os olhos. Todd não era o meu tipo, nem mesmo no colegial, mas ele parecia nunca tomar um "não" como resposta. Para ser justa, toda vez que ele me chamava para sair e eu recusava, minhas razões eram frágeis, minhas desculpas eram fracas. Eu dizia coisas como *eu tinha muito que fazer na vinícola*, ou que *era época de colheita*, ou que eu *estava no meio de um lançamento ou de uma reestruturação da marca*. Em vez de se ligar e perceber que eu não estava interessada, ele tomava minha rejeição como negativas temporárias. Eu deveria ser honesta e direta, mas não tinha ideia de como fazer isso sem ferir seus sentimentos e me sentir uma estúpida em troca. A única pessoa cujos sentimentos nunca me importei de ferir era James. Achava que sentia uma alegria doentia ao ser malvada com ele. Depois eu decidi psicanalisar essa parte de mim.

— Você podia me fazer um favor e tirá-lo de perto de mim, sabe... — Cutuco Jeanine com o ombro.

— Eu faria isso, mas gostaria de ficar com caras que estão interessados na verdade em mim, e não na minha melhor amiga. — Ela joga as mãos para cima em sinal de rendição. — Infelizmente, isso reduz minhas escolhas.

— Tão egoísta... — Balanço minha cabeça fingindo decepção.

— Eu sei. — Ela entra no jogo. — É uma exigência supergrosseira minha.

Nós duas caímos na gargalhada.

Não é que existisse alguma coisa errada de verdade com Todd. Eu só não sentia nada por ele. Não tinha atração ou química. Ele era um cara bonito, se você curtisse o tipo loiro e bem-apessoado — o que não era o meu caso.

Lanço um rápido olhar para James, que estava olhando para mim, e meu coração pulou na garganta antes de eu desviar. Aparentemente, eu curtia mais o tipo proibido, com cabelo escuro e uma barba aparada. O tipo de cara que fazia meu coração parecer que ia sair do peito só com um olhar. Minha garota má interior gostava de caras que poderiam arruinar a minha vida e fazer meus pais me deserdarem só com um beijo.

— Eles estão para anunciar os vencedores — diz Jeanine.

Concentramos nossa atenção no palco quando o microfone foi ligado e os alto-falantes ganharam vida num estalo. A tensão inundou todo o meu corpo enquanto eu esperava que eles lessem seu longo e prolixo roteiro até chegar à parte boa.

— E o vencedor deste ano é... — o locutor respira longa e profundamente, e dá uma pausa que pareceu durar meia hora — a La Bella, com seu fantástico Chianti com combinação de canela. A menção honrosa vai para a Vinhos Russo, com seu delicioso Cabernet sabor laranja. Esperamos que vocês tenham tido a oportunidade de experimentar ambos nesta tarde. Parabéns.

O cansaço que eu sentia apenas alguns momentos atrás desaparece imediatamente quando a energia entra em ação para substituí-lo. Um sorriso enorme se espalha pelo meu rosto. Trabalhei duro para criar essa combinação, como fiz todos os anos, mas tinha que admitir que estava ficando meio que acostumada a conseguir o primeiro lugar.

O que aconteceria quando chegasse o momento em que eu eventualmente perdesse para alguém? E se eu perdesse para James?

Estremecendo com essa ideia, balanço minha cabeça recusando-me a pensar nisso, enquanto as pessoas se aglomeram no estande e distribuem seus parabéns. Aceito-os graciosamente e, quando recebo a medalha de honra ao mérito, a faixa azul, o certificado oficial e o emblema, fico ansiosa.

A maioria das vinícolas tinha um adesivo impresso que elas colocavam na garrafa ou incorporavam na etiqueta original do seu vinho premiado. Mas não a La Bella. Eu tinha o emblema forjado em um selo de metal que mergulhava em cera quente e estampava à mão em cada garrafa. Cada um de nossos vinhos vencedores do prêmio tinha um emblema e uma cor diferentes perto do pescoço. O deste ano seria azul-escuro. Para ser sincera, eu estava ficando sem opção de cores.

— Você conseguiu. — Jeanine me puxa para junto dela e me aperta. — Não tinha nem dúvida.

— Então era só você — respondo, com o sorriso ainda estampado no meu rosto quando tiro os saltos dolorosos e entro em um par de botas de inverno bem gastas. Elas não combinavam nem um pouco com minha produção, mas meus pés me agradecem no momento em que o forro de pele os rodeia. Meu conforto era muito mais importante a esta altura do dia do que o visual.

— Parabéns. — James aparece na frente do meu estande quando eu começava a desmontá-lo. — De novo.

Meu sorriso vacila.

— Obrigada — digo, sem olhar para ele. A última coisa que eu quero fazer é dar um motivo a James para ficar por mais tempo.

— Você não se cansa de ganhar?

De pé e ereta, fico na altura dele com o olhar.

— Você não se cansa de perder?

— Não particularmente — ele responde com um encolher de ombros, e eu me pergunto qual é sua posição.

— Ugh, Russo, o que você quer? — finjo aborrecimento para o sr. Menção Honrosa.

— Quero te levar para jantar para celebrarmos — diz ele, soando tão sincero que eu quase acredito não haver ali segundas intenções.

— Sim, certo. Você provavelmente quer roubar minhas uvas.

— Como eu roubaria as suas uvas? — Ele olha para mim como se eu fosse meio louca.

Aceno com a mão no ar.

— Não sei. Vai me distrair com o jantar enquanto seus ajudantes arrancam minhas videiras do chão?

— A única coisa que eu sempre quis roubar de você foi a sua virgindade — sussurra ele enquanto se inclina na minha direção.

Não sei se ele está brincando ou não.

— Ha-ha. Muito engraçado. Você já disse para todo mundo que fez isso no ensino médio. Obrigada por isso, por sinal. Tão cavalheiro.

Um som de surpresa escapa dos seus lábios.

— Você realmente não sabe, não é?

— Sei do quê? — Projeto meu quadril para o lado e apoio minha mão nele.

— Vem jantar comigo e eu te conto.

Ele dá um sorriso tão encantador... Eu tenha certeza de que isso funciona com todas as mulheres com quem ele já havia topado. Definitivamente, está começando a funcionar comigo. Olho para Jeanine em busca de ajuda, mas ela finge não estar ouvindo.

— Jeanine pode vir também — acrescenta ele.

Ah, James Russo era bom nisso.

— O quê? Eu? — Jeanine começa a gaguejar em resposta. — Não posso ir com vocês dois. Eu, hã... tenho planos.

— Você não tem! — eu praticamente grito, porque sei que ela não tem plano algum.

— Bem, ainda não posso ir. Deixe-me fora do que quer que seja. — Ela faz uma cara feia para nós antes de sumir para sabe-se lá onde.

— Ótimo. Você espantou a minha melhor amiga.

Balanço minha cabeça em desaprovação antes que James dê um passo em minha direção, fechando o espaço entre nós. Meu corpo deveria ter se afastado dele em resposta, mas fica mortalmente imóvel, aproveitando o jogo de gato e rato. O desejo surge dentro de mim, mesmo sabendo que não tenho chance. Entregar-me a James não era algo que eu pudesse fazer, mas fico tentada. Seu cheiro me rodeia, e é preciso tudo de mim para que eu não feche os olhos e aspire o perfume. Eu o quero ainda mais perto, e praticamente o desafio a fazer a pequena distância entre nós evaporar. Odeio quão atraída eu me sinto por ele; isso me deixa fraca.

— Jantar, Julia. Diga sim. Não vou parar de pedir.

— Não — consigo falar.

Uma gargalhada rápida escapa de seus lábios.

— Sim.

— Não — digo mais uma vez, mas, se ele pedir de novo, eu vou definitivamente desistir.

— Julia, diga que sim.

Minha boca se abre para fazer exatamente isso, quando Todd Lestare nos interrompe:

— Está quase pronta para irmos, Julia?

Olho para ele em choque, minha boca ainda aberta.

— Hum, quase — tropeço na mentira.

A expressão de James se torna completamente assassina.

— O que é isso? — Ele vira a cabeça e foca em Todd, seu queixo tenso.

Não posso me lembrar de um momento em que o tivesse visto tão bravo. *Por que ele está tão furioso?*

— Vou levar Julia para jantar para celebrar a sua vitória. Ela finalmente disse sim. Só tive que pedir dez vezes. — Todd me dá uma piscadinha e eu morro um pouco por dentro. Livrar-me do jantar com o James é uma coisa, mas aumentar a coleção de mentiras é mais do que eu preciso ou quero.

— É isso mesmo? — James olha ferozmente nos meus olhos e espera que eu ponha a limpo isso tudo. Ele sabe que eu estava mentindo. Ele me desafia a admitir, a dizer em voz alta, mas eu não posso fazer isso.

Em vez disso, eu lhe ofereço um aceno fraco.

Ele se inclina para perto, seus lábios próximos do meu ouvido.

— Não saia com ele — sussurra, e eu tenho que recuperar o fôlego. — Qualquer um, menos ele.

Minha boca se abre para responder, para dizer a ele que eu faria qualquer coisa que ele pedisse, mas Todd intervém novamente.

— Não sei que jogo você está jogando, Russo, mas nós temos uma reserva para cumprir. E eu sei que você, de todas as pessoas, é a que melhor pode entender isso.

É um golpe baixo, mas funciona. James tinha uma boa reputação em nossa cidadezinha. Se você fizesse uma reserva de degustação privada e não aparecesse ou cancelasse, mesmo que antecipadamente, ele não permitiria que você fizesse outra reserva. Jamais. E não importava quem você fosse, a qual família pertencesse, ou quão famoso você pudesse ser. Eu costumava pensar que isso o tornava mais um idiota arrogante, contudo, uma vez que começou a acontecer comigo também durante a alta temporada, entendi seu raciocínio.

James se afasta, resmungando palavrões, parecendo mais irritado do que nunca.

Eu me viro para Todd.

— Obrigada por me salvar, mas você não tinha que dizer isso a ele.

— Eu sabia que isso iria irritá-lo. — Todd parece presunçoso, e isso me faz querer dar um soco no rosto dele por ser tão cruel.

Uma vez mais, eu sou claramente a única que tem permissão para maltratar James.

— Ainda assim foi desnecessário.

Começo a guardar as coisas, supondo que Todd vá embora.

— Eu quis dizer isso, sabe? — explica ele, e eu me viro para descobrir que ele não tinha se movido um centímetro.

— Quis dizer o quê? — Eu não sei se ele está se referindo ao jantar ou ao ocorrido com James.

— Jantar. Vamos. Você não pode me evitar para sempre.

— Ah, eu não acho que seja uma boa ideia. — Começo a ficar desconfortável enquanto procuro na minha mente por desculpas que ele possa aceitar.

— Dê-me um motivo para não ser.

— Hã, porque somos amigos... — tento essa, ainda que tecnicamente não sejamos amigos. Somos mais conhecidos.

— Amigos jantam juntos — diz ele com um sorriso torto.

— Os amigos jantam. Mas não tenho certeza de essa ser realmente a sua intenção — digo diretamente, esperando dissuadi-lo.

— Bem... — ele faz uma pausa —, amigos que se tornam mais do que amigos começam com um jantar.

— Todd — dou um rápido suspiro —, não estou buscando namorar ninguém agora. Não quero complicações nem distrações. E eu não vejo isso mudando tão cedo. Meu foco está na vinícola, e isso é tudo para o que tenho tempo.

A verdade é que, se estivesse genuinamente interessada em Todd, teria feito um discurso diferente, um que me incluísse dizendo "sim", e eu o teria encaixado em minha vida na vinícola assim como tinha feito com os poucos caras com quem namorara brevemente no passado. Mas eu não estou interessada em Todd. E jamais vou ficar.

Ele ri alto, e eu não tenho ideia do que pode ser tão engraçado.

— É só um jantar, Julia. Vamos. O que poderia dar errado?

Certeiras palavras, penso comigo antes de concordar relutantemente em ir estritamente como amigos.

Minha pele se arrepia com o pensamento de que eu deveria ter feito melhor. Eu deveria saber que absolutamente tudo poderia dar errado. E daria.

O CIÚME ALIMENTA O FOGO

Se ela soubesse o que ela é pra mim!
Quem me dera ser a luva dessa mão,
para poder tocar aquele rosto!

ROMEU E JULIETA DE WILLIAM SHAKESPEARE

— FILHO DA MÃE. — CHUTO UMA CAIXA VAZIA E OBSERVO ela voar pelo salão, deixando por pouco de acertar alguém nas costas.

— O que aconteceu? — pergunta Dane com a testa franzida.

— Todd Lestare aconteceu.

— O que isso quer dizer?

Esfrego meus olhos com as palmas das mãos, desejando que a imagem de Todd e Julia se apague, mas é inútil. Irritado demais para explicar isso ao meu melhor amigo, simplesmente o atualizo.

— À primeira vista, ela está indo jantar com ele — praticamente rosno.

Sua expressão fica amarga.

— Como isso aconteceu?

— Acho que ele chamou primeiro. Não sei.

— Então você o quê? Foi embora? E deixou Todd sozinho com ela? — pergunta entre gargalhadas. — Nunca soube que você era tão derrotista.

Eu já estou com raiva o suficiente; não preciso de Dane para acentuar isso com insultos e seu riso insano.

— Derrotista? Talvez não seja para ser. Talvez o universo tenha intervido para me impedir de ter o coração destroçado pela segunda vez pela mesma mulher. Já pensou nisso?

— Não — responde ele de forma dura. — Você já pensou que o universo tenha mandado Todd intervir para ver quanto você lutaria?

— Não — respondo tão duramente quanto a forma como ele fez a pergunta. — Ele a convidou para sair. Ela disse "sim". — Meus dentes rangem, e só param quando Dane me dá um tapinha no ombro, forçando-me a recuperar o fôlego e diminuir o ritmo do meu coração.

— Estou vendo que você está ótimo em relação a isso. De jeito nenhum ela está interessada em Lestare — diz Dane, mas eu ouço apenas parcialmente. — Vamos segui-los. Comer o que eles comerem. Ir para onde forem. Vamos tornar esse encontro desconfortável como o inferno. Vamos ser os indesejados segura-velas.

Surpreendentemente, considero seu plano idiota por cinco segundos antes de sair fora.

— Não. Vou minimizar o estrago e lamber minhas feridas no conforto do meu próprio lar. Estou exausto de qualquer maneira.

Ele podia fazer melhor do que ficar argumentando, mas isso geralmente nunca o impedia de continuar a fazê-lo.

— Sério? Ir para casa em vez de estragar a noite deles? Tem certeza?

— Certeza.

— Tudo bem. Vou te dar o prazo até a gente sair daqui para você mudar de ideia. — Ele me lança um olhar solidário. — Mas entendo se você não fizer isso.

Eu não ia mudar de ideia. Já me sentia idiota o suficiente, e não tinha interesse em me humilhar mais.

Sentindo o ar da noite, noto como ainda está quente lá fora, por mais fora de época que seja. Há um pouco de vento, mas cacete se não é a noite perfeita para um encontro. Soltando um longo suspiro, destranco a porta do meu carro e me sento lá dentro. Precisava pintar, e não conseguiria chegar em casa rápido o suficiente para começar.

Só três pessoas no mundo sabiam que eu pintava: minha mãe, meu pai e Dane. Fora isso, guardei o fato para mim, mesmo que as paredes do meu quarto e de nossa casa estivessem cobertas de minhas criações artísticas. Eu pintava nossa vinícola, os prédios, as vinhas, a cidade, o vinhedo de Julia e até mesmo alguns modelos de rótulos para nossos vinhos de edições especiais, mas até agora não tinha conseguido convencer meus pais a abandonar o logotipo tradicional e experimentar um de minha autoria. Eles estavam tão enraizados na tradição e no que funcionava, que tinham medo de complicar.

Depois de colocar meu carro na garagem, salto do veículo e vou direto para o pequeno celeiro onde minhas tintas e telas estão. Algumas pessoas escrevem suas frustrações com palavras em diários ou livros, mas não eu. Nunca fui bom em escrever; quando Julia basicamente pisou no meu coração naquela noite no vinhedo na época do Ensino Médio, vim para cá e pintei até o sol nascer. Ela disse que eu não tinha sentimentos, mas eu os derramei todos em sete telas naquela noite, pintando corações partidos em chamas com videiras se retorcendo através deles, além de um coração despedaçado entre os escombros. Externalizei minha dor com pinturas e, pela manhã, ainda que estivesse exausto, achei que me sentia melhor. Isso foi até vê-la na escola, e ela se recusar a, ainda assim, reconhecer minha existência.

Mergulhando o pincel na tinta acrílica vermelha, deslizo-o pela tela branca e dura em pinceladas longas, com meu coração gritando de raiva enquanto os pensamentos sobre Julia e Todd enchem minha cabeça. É o cheiro que me atrai primeiro. Paro de me mover quando respiro o ar; minha pele subitamente viva com a consciência de que algo está errado. Eu conheço esse cheiro muito bem.

Abrindo com violência a porta do celeiro, corro para fora. O cheiro de fogo está definitivamente mais forte, e eu posso ver a fumaça e a luz das chamas subindo pela escuridão a distância.

— Pai! — grito, enquanto pego meu telefone e ligo para o 190. — Pai! — grito de novo e começo a correr.

Correndo para a parte de trás da nossa propriedade no escuro em direção à luz das chamas, paro abruptamente quando vejo o fogo real, meus olhos praticamente saltados para fora da cabeça pelo quão perto estou do fogo e por quão alto as rajadas de laranja são atiradas pelo céu da noite. Agradeço rapidamente a quem quer que me ouve pela falta de vento e rezo para que o ar continue parado.

— 190. Qual é a sua emergência?

— Tina, é o James Russo — gaguejo, reconhecendo a voz da operadora. — Há um incêndio entre as minhas terras e as da La Bella. Mande os caminhões rapidamente. Está aumentando e se dirigindo direto para a propriedade.

— Fique na linha comigo, James — ela diz.

Grito para ela se apressar e mandar os caminhões antes de terminar a chamada. Não posso ficar no telefone com ela e tentar impedir as chamas de chegar à nossa propriedade ao mesmo tempo.

Onde meu pai está?, pergunto-me antes de ouvi-lo gritar de algum lugar atrás de mim.

— Estou aqui fora, pai — grito de volta, sabendo que ele não pode me ver no escuro. — Ligue os sistemas de *sprinkler*. Mantenha a água correndo — berro, enquanto volto a correr. Pego uma de nossas maiores mangueiras e corro para o limite da linha divisória de nossa propriedade.

O fogo começa a se aproximar perigosamente das famosas videiras de Julia no lado sul, que são bem menos protegidas do que o resto dos vinhedos. Embora a maioria das videiras seja consistentemente úmida e ofereça uma barreira natural contra o fogo, eu sei que as do lado sul tendem a ficar mais secas devido ao seu posicionamento na colina. Elas também estão cercadas por arbustos que não podem ser facilmente removidos, ao contrário do que ocorre com um vinhedo normal com áreas perfeitamente espaçadas e meticulosamente cultivadas. O fogo devoraria suas vinhas premiadas primeiro e não estaria nem aí. Meu coração dói ao pensar que Julia perderá a coisa que ela mais ama.

— O que você está fazendo? — meu pai praticamente grita detrás de mim quando me afasto da linha da nossa propriedade e sigo em direção à La Bella.

Com a maior pressão de água disponível, trabalho para proteger as videiras de Julia que estão no penhasco, criando uma barreira ao redor delas o melhor que posso sem cair. Descendo o mais longe possível enquanto mantenho o equilíbrio, pulverizo água e bato nas chamas que se aproximavam, determinado a mantê-las afastadas e rezando para não cair. Escorregando constantemente, meus pés tentam se escorar e se fincar no chão enquanto o fogo crepita e ruge através do mato, devorando cada coisa em seu caminho, deixando claro que estamos em guerra, o fogo e eu.

O som das sirenes ao longe só me dá um alívio superficial enquanto eu pulverizo a água e me movo o melhor que posso. Juro ouvir o fogo rir de mim enquanto pula e cambaleia em direção às videiras do lado do penhasco antes de recuar e, em seguida, rugir de volta novamente com vingança. Os bombeiros não podem chegar aqui rápido o suficiente.

— James! — o som da voz irritada do meu pai atinge meus ouvidos, e eu olho para trás por apenas um segundo.

Os *sprinklers* estão fazendo chover nas nossas videiras, mas não nas de Julia. *Onde os pais dela estão?*

Imaginar o olhar em seu rosto caso perdesse a vinha foi quase o suficiente para me quebrar em dois. Não posso deixar isso acontecer. Não vou deixar. As chamas dobraram de tamanho, criando o seu próprio clima, produzindo vento dentro de si, como se precisassem de algo mais para ajudar a abastecê-las. Continuo a pulverizar água em todas as direções, movendo meu corpo em angulações que me doem pra cacete conforme seguro o peso da mangueira nos braços. Percebo naquele momento que não há como vencer essa batalha, mas me recuso a desistir.

As sirenes ficam mais altas e eu sei que estão perto, mas tenho medo de parar de lutar e olhar para trás para checar.

— James, vamos assumir a partir daqui. — Uma porção de bombeiros de repente se espalha ao meu redor, galões de água saindo de todas as direções enquanto a vinha se ilumina. — Nós assumimos a situação. Volte — diz um deles, mas eu estou com medo de parar. — James! Saia daqui — grita ele, e eu finalmente solto a mangueira e respiro fundo, meus braços tremendo.

As chamas já estavam começando a recuar com a quantidade de pressão e poder que eles exercem de uma só vez. Podia ter sido muito pior. O fogo tinha a capacidade de destruir cidades inteiras sem pensar duas vezes e tinha queimado metade desta uma vez, no passado.

Começo a me afastar, sentindo-me um pouco atordoado.

— James.

Julia para na minha frente e eu paro de andar também. O que quer que existisse entre nós veio à vida, e não havia como ela não sentir isso também. Suas mãos alcançam meus ombros; não consigo me lembrar da última vez em que ela me tocara.

— Você está bem? O que está fazendo aqui fora? Está machucado? — Ela passa o polegar pela minha testa e eu estremeço. — Você está sangrando.

— Estou? — Limpo a cabeça e noto o sangue na ponta dos meus dedos. Não tenho ideia de como isso tinha acontecido.

— O que aconteceu? — Ela pega algo dentro da bolsa e pressiona contra a minha cabeça.

Eu a deixo tomar conta de mim — não somente porque ela está se oferecendo para fazer isso pela primeira vez em nossa vida, mas também porque eu quero que ela o faça.

— Não sei, mas eu tentei, Julia. Sinto tanto — digo a ela, querendo tanto abraçá-la e nunca largar.

— Sente pelo quê? — ela pergunta. Seus olhos estão postos nos meus e cheios de preocupação por mim, não por suas vinhas.

— Tentei salvar as suas vinhas — eu digo.

Um suspiro de surpresa escapa de seus lábios enquanto ela olha por cima do meu ombro; dá três passos passando por mim, como se só agora percebesse que elas tinham estado em perigo.

Ela caminha de volta, com o rosto apertado.

— Você tentou salvar as *minhas* vinhas? — pergunta ela, repetindo minhas palavras.

Sinto-me exausto e derrotado quando a adrenalina começa a baixar.

— Eu tentei, mas as chamas estavam tão próximas. Elas não iam parar.

— James... — Ela pega minha mão e aperta seus dedos com os meus. É um gesto tão íntimo, mas não algo que fazemos. Julia não devia nunca segurar minha mão. — Elas não queimaram.

— Não?

— Não. Venha ver. — Ela me puxa para a beira do penhasco e aponta.

Onde o fogo esteve uma vez muito vivo e respirando, não restava nada além de fumaça e pequenos pontos quentes.

O alívio me inunda.

— Elas estão bem — eu suspiro, enroscando minha mão livre no cabelo.

Ela sorri.

— Por sua causa. Por que fez isso? — pergunta antes de deixar a minha mão cair, como se não desse mais para confiar nela.

— Fiz o quê? — Minha cabeça está girando confusa, com a exaustão e mil emoções me atingindo de uma só vez.

— Por que você salvou as minhas vinhas em vez de salvar as suas? Seu pai vai te matar.

Nesse momento, eu tinha esquecido de que qualquer outra pessoa existia, especialmente meu pai. Olhando para longe dos restos carbonizados pelo fogo, miro com força os olhos cor de avelã de Julia.

— Eu sei quanto elas significam para você. Seria a morte para você perdê-las.

— E? Você se importaria se eu as perdesse ou não? — ela pergunta com sinceridade. Julia está verdadeiramente confusa.

Considerei dizer que eu estava apaixonado por ela, que eu sempre estive. Quis falar com franqueza, mas algo me impediu.

— Não gosto de ver você magoada — é tudo o que consigo admitir.

A expressão dela se suaviza instantaneamente.

— É engraçado. Você está brincando?

— O que é engraçado?

— É só que eu esperava o contrário vindo de você.

Engulo em seco; as palavras dela ardem.

— Acha que eu gosto de ver você magoada?

Ela dá de ombros lentamente ao mesmo tempo que seus lábios se curvam.

— Eu só não achava que você se importava, para ser sincera. Você não se importava na escola, então por que se importaria agora?

Ela se referia ao boato que eu começara naquela época. Inferno! Quando não eram nossos pais se metendo entre a gente, era certamente o meu erro que o fazia.

— Eu sempre me importei.

Seus quadris se moviam enquanto ela transferia seu peso de um pé para o outro.

— O.k. Bem, obrigada. — Ela inclina a cabeça. — Isso não é um truque, certo?

— Como isso seria um truque?

— Não sei — ela gagueja, claramente irritada por qualquer razão.

Eu realmente tinha sido um idiota tão grande para ela, que ela questionaria uma boa ação e pensaria haver uma intenção maliciosa por trás disso?

— Eu só não entendo por que você faria isso pela minha família. Meu pai vai surtar quando eu contar para ele.

— O que você quer dizer? Tipo, que ele vai ficar furioso? — Essas palavras eram as últimas que eu esperava ouvir.

Seus olhos demonstram esforço enquanto ela pensa em como me explicar seus pensamentos.

— Meu pai vai sentir como se devesse algo a você. E ele não vai poder suportar isso. O que provavelmente vai fazê-lo odiar você mais ainda. — Ela realmente parece irritada, e aquela pequena fenda em sua armadura me deu esperança. — É tão estúpido. Isso deveria fazê-lo odiar você menos, certo? Mas eu sei que não vai.

Ela dá alguns passos na minha direção antes de segurar meu queixo com a mão e dar um beijo rápido na minha bochecha. Todo o sangue corre para as minhas calças, e eu quero virar a cabeça e mudar esse beijo liberado para todas as idades em algo mais adequado para adultos.

— Obrigada de novo. Nunca vou poder lhe retribuir pelo que você fez — diz ela antes de recuar e deixar surgir a distância entre nós.

Eu me pergunto se ela se arrependeu do que tinha acabado de fazer, mas definitivamente não ia perguntar e dar a ela a chance de dizer "sim".

— Onde estão os seus pais, a propósito? Estou surpreso que seu pai não estava aí, tentando me empurrar para o meio do fogo.

Ela ri de verdade, e eu desejo engarrafar aquele som e ouvi-lo repetidamente sempre que estivesse tendo um dia de merda.

— Estão na Itália, visitando a família.

— Saia comigo — digo, recusando tomar um "não" como resposta desta vez.

— Sair com você? — repete ela.

— Você faz muito isso.

— Faço o quê?

— Repete as coisas que eu digo.

— Eu repito?

— James! Venha aqui agora. — Meu pai parece absolutamente irritado.

Eu estou sinceramente surpreso por ele ter me deixado falar com Julia por todo esse tempo sem nos interromper. Pergunto-me brevemente quanto ele tinha visto.

— É assim que você pode me agradecer por salvar as vinhas. Saia comigo. — Começo a recuar, esperando que ela diga "sim".

Ela chuta a sujeira com os pés, os braços ao redor da cintura.

— Eu sabia que isso era um truque.

— Julia, um encontro não vai matar você. — Eu dou risada.

— Um encontro com você poderia — dispara ela de volta, e eu odeio quanto a sua atitude me excita.

— Então isso é um "sim"? — Paro de caminhar e espero.

Meu pai grita meu nome de novo, e de repente me sinto como um adolescente prestes a ficar de castigo por fazer algo errado.

— Não aceito "não" como resposta.

— Bom. Mas eu não vou me divertir. — Julia acena para mim antes de virar as costas.

Corro em direção à minha casa ainda em pé, grato pelo fogo não ter saído do controle e queimado tudo, até o chão, enquanto mentalmente eu planejo para ter certeza não só de que Julia se divertirá, mas também de que não vá querer nunca que a noite termine.

Não haveria mais como negar o que sempre existiu entre nós. A farsa mútua terminaria em nosso encontro. Eu me asseguraria disso.

JÁ ERA MAIS QUE HORA

O que é um nome? Aquilo que chamamos de rosa terá o mesmo aroma doce com qualquer outro nome.

ROMEU E JULIETA DE WILLIAM SHAKESPEARE

SÓ FINGI VOLTAR PARA MINHA CASA PARA ENCORAJAR James a ir embora e lidar com o pai dele, mas, na verdade, fiquei do lado de fora para conversar com os bombeiros. Eles me contaram que, se não fosse por James, o fogo teria se espalhado em definitivo, provavelmente atingindo tanto os nossos celeiros quanto as nossas casas, e podia ter se tornado uma força irrefreável. Também me disseram que eles tiveram que praticamente o remover do penhasco, já que ele não ia parar de combater as chamas por conta própria.

Escutei cada palavra deles em choque. James tinha realmente sido um tipo de herói, e eu ainda não podia entender o porquê. Lutar pela própria vinha era uma coisa, mas ele lutara pela minha e deixara a dele abandonada. Eu não conseguia entender. Era difícil encaixar o tipo de cara que eu sempre imaginei que James fosse com aquele que eu testemunhei em ação na noite passada. Aquela fachada petulante e arrogante tinha se transformado em algo que parecia na realidade humano e atencioso. Isso me fez dar voltas. Não que eu não gostasse de ver James dessa maneira — porque eu gostava —, mas levou meu coração a fazer coisas engraçadas dentro do peito. Não sabia ao certo como me sentia sobre isso.

Meus pais tinham ouvido falar do incêndio por alguém na cidade, mas eu não fazia ideia de quem. Eles me ligaram às 4 da manhã e insistiram que entrariam no próximo avião e viriam para casa. Eu os acalmei e os convenci a ficar na Itália pelo resto da viagem, mas sabia que o pior ainda estava por vir. Uma vez que meu pai descobrisse o que James tinha feito, ia perder a cabeça. Se dependesse dele, preferiria que as nossas vinhas ardessem até as cinzas a tê-las salvas por um Russo. Estava além do ridículo — eu sabia disso —, mas não adiantava tentar fazer com que fosse razoável quando se tratava daquela família.

Pela manhã, caminhei pelo terreno e senti o choque percorrer meu corpo ao ver quão perto o fogo tinha realmente chegado de ambas as nossas propriedades. Tivemos sorte de não ter vento na noite passada, ou teria sido uma história completamente diferente, mesmo com James lutando contra o incêndio. A única coisa com a qual deveríamos nos preocupar agora era se a fumaça tinha causado algum estrago ou não, mas não saberíamos a resposta para isso por meses. Felizmente, as uvas do lado sul já haviam sido colhidas, e as videiras tinham produzido as uvas mais resistentes; um pouco de fumaça não as teria afetado.

— Chegou perto, hein? — O som da voz de James me faz dar um pulo e meu coração acelerar.

Coração estúpido.

Eu me viro na direção dele, usando a mão para me defender do sol nos meus olhos.

— Muito perto — eu digo, concordando. — Obrigada de novo. — Aceno na direção das minhas videiras ao lado do penhasco.

Ele sorri e eu desejo poder ver seus olhos através dos óculos escuros.

— Você pode me agradecer esta noite.

— Esta noite? — pergunto, com minha voz falhando de leve.

— Jantar — diz ele.

Eu tenho consciência de que ele não vai me dar chance alguma de mudar de ideia. E, para ser sincera, gosto que ele esteja sendo tão autoritário, e me pergunto por um instante o que aquilo diz sobre mim.

— Certo. Jantar. O.k. — concordo.

— Eu realmente não quero sair da cidade. Você quer?

Eu seu aonde ele quer chegar, na verdade. Está tudo bem para mim ser vista por pessoas que não fariam nada além de fofocar sobre nós dois estarmos juntos?

A ideia de ter que dirigir por aproximadamente uma hora para estar cercada de estranhos parece ridícula, em especial quando, por causa dos negócios, a maioria das pessoas sabia quem éramos de qualquer maneira.

— Eu gosto de dar apoio aos nossos negócios locais.

Ele arma um sorriso antes de dizer:

— Eu também. Pego você às 6 e meia, O.k.?

Não consigo falar, então aceno; quando ele se afasta de mim, não faço nada além de vê-lo ir.

Por que meu arqui-inimigo tinha que ser tão lindo? E por que eu estava atraída pelo único homem com quem eu não podia ficar? A vida não era justa.

Quando fiz o caminho de volta para minha casa na propriedade, comecei a pensar novamente em meus pais. Se eu achava que meu pai ia enlouquecer com a história de James e do incêndio, seria dez vezes pior quando soubesse do jantar do qual eu tinha aceitado participar por conta disso. Era inútil fingir que James e eu poderíamos manter qualquer coisa só entre nós mesmos. Quando concordamos em jantar ali perto, nós dois sabíamos exatamente o que isso significava — que a cidade inteira saberia sobre o encontro na manhã seguinte. Imaginei que eu mentiria para o meu pai e o convenceria de que eu estava conversando com James sobre o incêndio, elaborando a logística sobre possíveis danos causados pela fumaça e sobre como poderíamos nos preparar contra o fogo no futuro. Só esperava que ele comprasse a história quando o momento chegasse.

Três batidas na minha porta de madeira me alertam para o fato de que James está do outro lado dela. *Devo convidá-lo a entrar? Ou devo atender a porta com a minha bolsa na mão, pronta para ir?* Esse é um território novo para mim —não a parte do encontro, mas do encontro com a única pessoa de quem eu não deveria gostar. Não tenho ideia de como agir, e me pergunto de repente se eu estou superproduzida quando olho para os meus saltos e meu vestidinho preto.

Abrindo a porta devagar, dou um sorriso quando vejo James parado ali com um buquê de flores silvestres na mão. Todo o resto desaparece quando olho em seus olhos azuis.

— Oi. — Ele sorri e eu tomo consciência de que é um caso perdido.

Como eu já tinha fingido não estar atraída por ele?

Eu tenha certeza de que ele pode ver através da minha aparência.

— Oi. — Sorrio de volta e abro mais a porta, convidando-o a entrar sem pensar.

Ele está vestindo calça escura e uma camisa preta de botão que combina perfeitamente com a minha roupa. Parece que coordenamos tudo, mesmo que não tenhamos feito isso.

— Elas são para você.

Ele me oferece as flores e eu as pego. As pontas dos nossos dedos se roçam e não posso ignorar a faísca que se acende. James me dá uma olhada e eu percebo que ele sentiu o que eu tinha sentido, e está procurando pela minha confirmação, mas eu não posso dá-la a ele, mesmo que queira.

Há uma tremenda guerra de forças contraditórias dentro de mim. Num segundo, eu estou disposta a arriscar tudo e, no seguinte, com muito medo de que ele veja tudo o que eu estou tentando esconder.

Entro na minha pequena cozinha e procuro em vão por um vaso. Pego uma jarra de vidro e coloco as flores ali, decidindo que é o melhor para elas.

— Elas são tão bonitas. Incomuns.

— Como você.

Eu dou risada de sua fala cafona porque... Como não poderia?

— Sou incomum, hein?

— Você definitivamente não é como qualquer outra mulher — responde ele.

Decido que, se James pensa em mim desse jeito, eu absolutamente não vou querer mudar a ideia que ele tem de mim.

— É melhor que isso seja algum tipo de elogio, Russo — provoco, estreitando meus olhos divertidamente para ele.

Ele dá alguns passos em minha direção e passa um braço em volta da minha cintura, me puxando contra ele.

— É um elogio, com certeza.

A maneira como ele olha para mim grita "perigo", e eu o empurro antes de me afastar a uma distância segura. Não tenho ideia de como me conduzir nisso com ele. As ameaças do meu pai soam nos meus ouvidos enquanto minha guerra interna continua enfurecida.

— Está pronto? — limpo a garganta ao perguntar.

Ele dá uma risada profunda e gutural, apreciando claramente quão desconfortável sua presença me deixa.

— Sim, Julia, estou pronto. — Ele acena com o braço para eu ir na frente. Um cavalheiro.

Dirigimos em silêncio em direção ao minúsculo centro da nossa cidade, sem que nenhum de nós saiba o que fazer. A tensão sexual quase adquire vida própria. Ela está espessa e tangível, como algo que eu pudesse alcançar e arrancar do ar. Minha mão quer repousar em sua coxa. Meus dedos se coçam para esfregar sua nuca, brincar com o cabelo dele e sentir a barba. Meu corpo me trai a cada quilômetro, mas minha mente permanece firme.

Quando estacionamos, eu me certifico de abrir minha porta antes que James tenha a chance de fazê-lo. Não posso tê-lo pegando a minha mão e entrelaçando seus dedos com os meus, mesmo que o meu corpo o quisesse e me odiasse por eu não me entregar. Com James, mesmo o mais simples dos gestos era dissecado, superanalisado e detido.

Ele segura a porta da frente aberta para mim, e a *hostess* dá uma olhada surpresa quando percebe que nós dois estamos entrando juntos. Sua expressão parece completamente chocada, e eu não posso culpá-la.

— Hã... Oi, vocês dois.

— Oi, Samantha — James e eu dizemos em uníssono.

— Vocês estão juntos? — pergunta ela, com um tom cauteloso e desconfiado.

James riu ao dizer:

— Sim, milagres oficialmente acontecem.

Ela se inclina na minha direção e sussurra no meu ouvido:

— Você está aqui de bom grado? Ele não te sequestrou, não é?

— Estou te ouvindo — diz James, e Samantha parece sinceramente constrangida. — Olhe para ela, Samantha. — Ele faz um gesto com a mão para cima e para baixo pelo comprimento do meu corpo mais de uma vez. — Ela parece uma mulher que não está aqui de bom grado?

— Ei — levanto a voz, chamando mais atenção indesejada para a nossa direção. — O que isso quer dizer?

— Quer dizer que você está linda — James rapidamente responde. — E eu não acho que você se produziria para um sequestro.

Meu rosto esquenta com seu elogio e eu sei que estou vermelha.

— Desculpe. É que tudo isso é muito inesperado — Samantha pede desculpas.

— Confie em nós; nós sabemos — sinalizo com um sorrisinho.

— O.k. Bem, vou mostrar a mesa de vocês — ela diz antes de pegar dois cardápios e nos conduzir pelo restaurante, onde literalmente todo mundo para o que estava fazendo para nos observar.

Algumas pessoas sacam seus telefones, e eu percebo de que elas estão disparando mensagens de texto ou tirando fotos para enviar. De repente, desejo poder me esconder.

No que eu fui me enfiar? Perdi a cabeça depois do incêndio?

— Não se atreva — diz James, enquanto puxa o assento para mim e espera que eu me sente.

— Não me atreva a quê? — pergunto, enquanto me senta devagar, como se pudesse mudar de ideia a qualquer momento.

— A pensar em ir embora.

Lanço-lhe um olhar incrédulo.

— Não estou.

Ele sorri quando se senta à minha frente, seus olhos azuis cintilando na luz.

— Você está. Não te culpo. Mas não se renda a eles. Por favor. Apenas esteja aqui comigo. — Ele parece tão doce e sincero; eu me pergunto como qualquer mulher poderia ignorar seus pedidos. — Você me prometeu um encontro.

— Sei que prometi — digo, tentando entender o fato de que eu tinha concordado com isso primeiro.

Talvez não tivesse sido a melhor ideia. Se meus pais estivessem na cidade, eu definitivamente teria dito "não". O fato de eles estarem do outro lado do mundo tinha me dado a confiança e a liberdade de dizer "sim" a James, mesmo que eu soubesse que ainda teria repercussão.

— Bem, bem, essa não é uma agradável surpresa? — Ginny Stevens se aproxima da nossa mesa e coloca um copo de água na frente de cada um. Ela ajeitou os óculos no nariz e enfiou seus cachos curtos e grisalhos atrás da orelha.

Ginny é dona do restaurante com o marido, e eu conheço os dois desde que podia me lembrar. Se eu estiver certa, o marido dela, Hank, provavelmente está nos fundos preparando as refeições desta noite.

— É? — James pergunta-lhe com um sorriso doce.

Ela pega na bochecha dele e dá uma beliscada.

— É claro que é. Todos nós temos apostado nisso há anos. — Ela dá uma piscada antes de bater no bloco com a caneta.

— Apostado no quê? — Espera parecer tão confusa quanto eu me sinto no momento.

Ela volta sua atenção para mim.

— Apostado em vocês dois. Podemos ser uma cidade pequena, mas não somos cegos ou estúpidos. Todos nós sabíamos que o plano dos pais de vocês para mantê-los separados eventualmente ia sair pela culatra. — Ela puxa o assento entre nós e se senta. — Para ser sincera, não achamos que ia demorar tanto. Tivemos que começar a aposta mais de três vezes. Já era mais que hora de vocês finalmente aparecerem — ela olha entre nós dois — juntos.

— Lamento termos demorado tanto, Ginny — James diz com um sorriso, enquanto eu permaneço sentada com o que deve parecer um olhar horrorizado no rosto. — Qual foi o seu primeiro palpite? — pergunta James, nem um pouco incomodado.

— Eu tinha certeza de que vocês dois iam sair às escondidas na escola. Achei que não chegavam ao Ensino Médio sem pelo menos uma escorregada. Quase ganhei.

Uma luz se acende na minha cabeça.

— Até você ouviu o boato?

— Sabia que não era verdade. Não me pergunte como, mas uma mulher sabe. Eu sabia.

— Não era verdade. — Olho para James do outro lado da mesa, desejando ter sabido que outra pessoa acreditava em mim naquele tempo. Tinha me sentido tão só naquela época, sem ninguém com quem falar ou a quem recorrer.

— Então, há quanto tempo isso vem rolando? — James tenta mudar de assunto, mas eu quero que Ginny faça ele se envergonhar um pouco mais. Ele merece isso por tudo o que tinha me feito naquela época. Para a minha tristeza, ela não o faz.

— Já há algum tempo.

— Quanto é algum tempo? — pergunto, começando a me sentir ingênua por não perceber que isso estava acontecendo pelas nossas costas.

Ela coloca uma mão enrugada em cima do meu braço.

— Querida, você não teria sabido — começa ela, como que lendo meus pensamentos. — Nós obviamente escondemos de vocês dois. Não queríamos que as circunstâncias da aposta fossem adulteradas de forma alguma. Mas começamos a falar sobre isso como uma brincadeira no início, quando vocês estavam no primário. Sabe, o tipo de coisa: *não seria engraçado se eles terminassem juntos?* — diz ela com uma piscada, antes de dar uma risadinha. — Em algum momento, quando vocês estavam no ginásio, começamos com a primeira aposta.

De repente me vejo interessada, querendo saber mais.

— Por que tiveram de recomeçá-la tantas vezes?

Ela bate nos braços de nós dois enquanto se levanta.

— Porque vocês dois continuaram demorando demais! Foi por isso. Tivemos que começar a dividi-la em intervalos.

Um riso alto escapa. Não consigo evitar.

— Bem, espero que a aposta inclua alguém que me dê um lugar para morar quando meus pais descobrirem.

Ginny projeta os quadris.

— Mande seu pai para mim se isso acontecer. Vou lembrá-lo de onde viemos. — Ela aponta a caneta na minha direção antes de pegar no avental e tirar um bloco de anotações. — Agora, vocês dois sabem o que querem comer?

Não tínhamos nem aberto os cardápios, mas James se pronuncia de qualquer maneira:

— Qual é o prato do dia hoje?

— É gostoso — Ginny anuncia, parecendo um pouco irritada por James ter coragem de perguntar.

— Então vamos pedir isso — ele diz.

— Alguma ideia do que vamos comer? — pergunto com uma risada baixa.

— Não — responde ele.

Eu me perco em seu sorriso antes de deixar meus olhos caírem em sua barba perfeitamente aparada. Essa barba realmente podia acabar comigo.

— O que você está olhando? — pergunta ele, com um ritmo arrogante na voz.

— Seu rosto.

— Hum. Bom, continue admirando então.

Reviro os olhos ao pegar minha água e tomar um gole na esperança de saciar meu desejo.

— Terminei.

— Minha vez, então — diz ele antes de se fixar nos meus olhos e lamber os lábios.

Meu corpo estremece antes de me implorar para rastejar sobre a mesa e me jogar no colo dele.

Corpo estúpido, minha mente o repreende.

Estar aqui com ele desse jeito é quase demais da conta para eu racionalizar. Meu corpo está determinado a vencer essa guerra.

— Nós definitivamente estamos sendo pegos — eu digo, um pouco mais nervosa do que pretendia.

O peso da minha decisão de estar ali com ele começa repentinamente a cair sobre mim. Eu estou em público com James, e agora mordo meu lábio inferior para parar de fantasiar com ele.

— É claro que vamos ser pegos. É uma cidade pequena, Julia. Todo mundo descobre tudo.

Eu respiro rapidamente, me perguntando qual parte disso ele não parece entender. *Como ele pode dizer aquelas palavras como se não fossem grande coisa? Como se não houvesse consequências?*

— Não deveríamos estar juntos, e eu definitivamente não deveria estar em lugar nenhum com você.

Como eu tinha concordado com isso?

Meus pais iam descobrir e meu pai provavelmente me demitiria assim que pisasse em solo californiano — isso se não mandasse alguém para matar James primeiro.

— Por que você está tão preocupada? — Ele estende as mãos sobre a mesa para alcançar as minhas, mas eu as coloco no meu colo em vez disso. Ele parece vencido quando se recosta e inclina a cabeça, seus olhos azuis penetrando os meus. — Sinceramente, Julia, qual a pior coisa que poderia acontecer? Nossos pais ficarem furiosos conosco e o quê? Dizerem que não podemos ficar juntos? Não somos mais crianças.

Praticamente engasgo com o ar ao meu redor diante da simplicidade dele.

— Bom, para começar, meu pai não vai apenas me demitir. Ele vai me expulsar da minha casa e também me deserdar.

— Não vai — diz James, incrédulo, até ver quão séria eu estava. — Seu pai realmente faria tudo isso?

— O seu não? — pergunto quando meus olhos começam a marejar.

— Acho que não — diz ele, descrente.

— Bom, meu pai é sério quando se trata disso.

— Quando se trata do quê, exatamente? Manter-nos separados? — Ele parece chocado por completo, e eu me pergunto se nós estamos no mesmo universo.

— Você está realmente tão surpreso?

James pega seu copo de água e bebe tudo antes de limpar os lábios com o polegar.

— Sinceramente, estou.

Uma bufada de irritação escapa dos meus lábios, enquanto eu aperto o dorso do meu nariz com os dedos.

— "Não é o mesmo na sua casa? Não posso imaginar o seu pai aprovando você se encontrando com a garota da La Bella.

— Sim — começa ele ao pegar o guardanapo e desdobrá-lo —, você é definitivamente um assunto tabu, mas meu pai nunca ameaçou tirar a vinícola de mim. Acho que minha mãe teria um ataque se ele tentasse. Isso é muito confuso, você sabe.

— Isso me manteve distante de você por tanto tempo... — A verdade escorrega dos meus lábios antes que eu possa pegá-la de volta.

Observo sua expressão se fechar antes que ele respire fundo; seus olhos se iluminam, como se a percepção de nossos últimos anos o atingisse de uma só vez.

— É por isso que você sempre ficou longe de mim. — Ele se muda para o assento ao meu lado e pega minha mão debaixo da mesa. Quando nossos dedos se entrelaçam, eu os aperto mais forte em vez de me afastar. — Era porque você estava com medo de perder tudo, não porque não estava interessada.

— Nunca disse que estava interessada — respondo com um sorriso. Mas eu estou desesperada para mudar de assunto, para afastá-lo do assunto *ele e eu*, porque absolutamente nada para mim mudou, e eu não sei como lidar com isso. Meu pai ainda tiraria tudo de mim sem pensar duas vezes, então meus sentimentos por James não importavam; não podiam importar. — Então, você ouviu como o fogo começou?

Ele olha para mim como se soubesse exatamente o que eu estava fazendo e por quê. Aperta minha mão uma vez mais antes de soltá-la e voltar para o assento à minha frente.

— Um transformador explodiu e jogou faíscas sobre o mato seco.

— Sim. Você pegou bem na hora. Como você fez isso, por sinal?

— Eu estava no celeiro e senti o cheiro de fumaça.

— Você estava no celeiro? Fazendo o quê?

Vi James entrar e sair do celeiro muitas vezes quando éramos mais jovens, mas nunca soube exatamente o que fazia lá dentro. Ele se mexe e parece estar travando uma batalha interna, embora eu não tenha ideia do motivo.

— Conte-me, James. O que você faz naquele celeiro o tempo todo?

Ele gira o gelo que resta no seu copo já sem água.

— Tem certeza de que quer saber? — James levanta uma sobrancelha para mim.

Planto meus cotovelos na mesa e descanso o queixo no alto das mãos na expectativa.

— Conte-me tudo.

Ele hesita antes que um olhar estranho, que eu não consigo identificar, surgisse em seu rosto.

— Luto boxe — diz ele despreocupadamente, com um leve encolher de ombros.

Recostando-me, repito:

— Você luta boxe? Tipo, você tem todo o equipamento lá montado para isso ou o quê?

Ouvi-lo dizer aquilo por qualquer motivo realmente não me surpreende, mas agora tudo o que eu podia fazer era imaginar James socando coisas, suado e sem camisa, com os músculos saltando.

— Sim, claro. — Ele pega o copo de novo e bebe o pouco que resta do gelo, como se esse assunto o deixasse desconfortável. — Eu estava batendo na merda do meu pobre saco de pancadas quando senti o cheiro de fumaça.

— Como você não estava exausto depois da competição?

— Eu estava muito furioso para estar cansado.

— Furioso com o quê? — Eu sei com o que ele estava furioso, pois me lembro de como ele ficara com raiva quando Todd me convidou para sair, mas estou jogando uma isca para ele me dar a resposta. Quero ouvi-lo dizer isso em voz alta. Preciso ouvi-lo dizer que tem ciúme, que sente algo por mim, mesmo que eu não possa retribuir. Era egoísta e imaturo da minha parte, mas ainda assim insisti.

— Você saiu para jantar com aquele bundão. Eu não conseguia parar de ver o jeito que ele olhava para você. — Ele começa a parecer agitado, o pensamento deixando-o todo nervoso de novo, e odeio quanto eu amo isso. — Eu estava tão bravo com você. — Seus olhos ficam apertados, quase como se ele estivesse com dor física só de pensar nisso. — Eu estava tão furioso, Julia. E magoado pra cacete.

Meu mundo instantaneamente para de girar, o ar fica pesado com sua confissão. Esse é um daqueles instantes que definem a vida; eu tenho certeza disso. Tipo quando me eram apresentadas duas opções: continuar, como de costume, mentindo para mim e para James sobre meus sentimentos por ele, ou cruzar a linha que ninguém em nossa família jamais ousara atravessar.

Aperto meus lábios com força antes de admitir:

— Eu só saí para que ele parasse de me pedir.

— Como o que você está fazendo agora comigo? — James soa ainda mais ofendido que antes, e eu odeio que ele possa pensar em se comparar a alguém como Todd Lestare.

— Não.

— Não?

Agora, é ele quem está insistindo comigo de propósito. James vai me forçar a dizer isso, e eu nunca serei capaz de voltar atrás. Uma vez que essa linha seja cruzada, jamais poderemos descruzá-la. Eu estou tão envolvida no momento, com o jeito como James olha para mim, com a dor nos seus olhos quando fala sobre mim e Todd, que eu não posso deixar que ele continue a pensar que a situação deles dois é a mesma na minha cabeça.

— Eu realmente quero estar aqui com você — digo antes de esclarecer: — Eu não queria estar lá com ele.

E, simples assim, o mundo se endireita e começa a girar novamente. O sorriso no rosto de James me enche de algo que nunca senti antes sempre que olhava para ele — esperança. Poderia verdadeiramente haver tal coisa para nós dois?

— Senhorita — o velho Johnson para em nossa mesa e me dá uma olhada mordaz —, seu pai ficaria tão decepcionado com você... — Ele faz "tsk, tsk" para mim antes de ir embora.

Qualquer esperança que pensei que poderíamos ter dissolve-se no ar bem diante dos meus olhos; a realidade amarga substituindo-a na esteira.

Caramba.

No que eu estava pensando?

Afasto-me da mesa, o sorriso no rosto de James se transformando instantaneamente em uma carranca.

— Não, Julia! Não! — ele implora, mas é tarde demais.

Aquele pequeno comentário do sr. Johnson era o que eu precisava para colocar tudo em dúvida. Eu geralmente era tão equilibrada. James aparentemente me fizera de idiota.

— Eu nunca deveria ter vindo. Não podemos fazer isso. Sua família pode não te deserdar por sair comigo, mas a minha vai. — Pego minha bolsa e meu casaco, lidando desajeitadamente com os dois enquanto tento sair, antes que ele possa me impedir. — Desculpe — eu digo antes de sair correndo e buscar o número da única empresa de táxi da cidade.

CONSIGA A GAROTA

*Eu amo uma mulher, mas ela jurou
não amar ninguém.*

ROMEU E JULIETA DE WILLIAM SHAKESPEARE

NÃO, NÃO, NÃO, NÃO, NÃO, NÃO! ANDO DE UM LADO PARA O outro entre o meu assento e o dela na mesa.

Todo mundo no restaurante está olhando para mim como se eu fosse meio louco. Talvez eu fosse. Eu estou prestes a jogar minhas mãos para o alto e pedir conselho aos curiosos quando Ginny aparece ao meu lado, carregando nosso jantar.

— Então, acho que você quer isso para viagem? — pergunta num tom espertalhão.

— É claro. Sim. Desculpe — eu digo, antes de me sentar de novo, com a cabeça entre as mãos.

Levanto na respiração seguinte e corro, perseguindo Julia como se minha vida dependesse disso. Inferno, talvez dependesse. Talvez sempre tenha dependido.

Abrindo a porta da frente, voo para fora e o ar frio da noite me atinge como um tapa no rosto.

— Julia, por favor. Espere. Deixe pelo menos eu te levar para casa. — Minha voz soa entrecortada quando as palavras tropeçam dos meus lábios, mas não me importo. Meu orgulho é forçado a ficar no banco de trás neste momento.

Ela se vira para mim, seu longo cabelo escuro voando com a brisa. Segurando o telefone na minha direção, ela diz:

— Eu já liguei para um táxi.

Por que eu estava sempre perdendo quando se tratava de Julia? Não importava o que eu fizesse ou quão atipicamente eu me desdobrasse em relação a ela, eu não podia vencer.

— Realmente não quero que você se vá — eu digo, tentando uma última tacada.

Vejo quando ela engole em seco, seus olhos cor de avelã focalizando meus pés em oposição ao meu rosto.

— Eu sei. Nós só não podemos, James. Fomos estúpidos de pensar que podíamos.

O táxi para e meu coração afunda quando ela se aproxima do meio-fio.

— Só me conta uma coisa. — Minha voz sai entrecortada e ela para de se mexer, mas não se vira. — Por que seu pai *me* odeia tanto? Você ao menos sabe o porquê?

— Por causa da aposta — ela lança com facilidade por sobre os ombros antes de entrar no carro e fechar a porta.

Eu quero arrancar todo o meu puto cabelo de frustração. Nada faz sentido. Aquela aposta idiota era de gerações passadas, e eu nunca vou compreender por que nossas famílias escolheram cultivar o ressentimento em vez de tentar se entender.

— Mas sua família ganhou! — grito, enquanto o táxi se afasta e desaparece de vista, mas juro que vejo a surpresa em seus olhos.

———•◦•———

— Não sei, cara. Ela pareceu chocada quando eu disse que a família dela tinha ganhado a aposta. Era quase como se ela não soubesse, ou algo assim. — Sento em um banquinho no celeiro, enchendo a orelha de Dane. Eu na verdade o tinha chamado para vir e me acalmar, mas parecia provocar o efeito oposto.

— Talvez ela não saiba. Você já pensou nisso? — ele me pergunta enquanto gira na cadeira.

Eu o observo girar e girar e girar, meio tentado a derrubá-lo de imediato.

— Você pode parar de girar por dois segundos?

Seus pés batem no chão quando ele para abruptamente.

— Estraga-prazeres.

— Criança.

— Então?

Ele me mostra o dedo do meio e eu olho em volta buscando algo para jogar nele.

— Você realmente acha que ela não sabe que a família dela ganhou?

Ele encolhe os ombros.

— Estou só dizendo: e se ela não souber? Quer que eu vá perguntar?

— Não — deixo escapar muito rápido, e ele começa a rir de mim. Vejo a comida que eu tinha trazido, conforme Ginny insistira, sobre a mesa. — Você acha que eu deveria ir e levar o jantar para ela?

— Seria a coisa cavalheiresca a se fazer. Ela provavelmente está lá morrendo de fome. Sozinha. Na dela. Com o estômago roncando.

Desta vez pego um pincel e jogo na cabeça dele. Ele se desvia no último segundo e eu vejo o pincel quicar antes de deslizar pelo chão.

— O.k. Deseje-me sorte.

— Você precisa disso.

— Vá para casa — eu digo quando me afasto com a comida nas mãos.

— Não. Você pode estar de volta em breve. Eu acho que vou esperar. Talvez eu pinte alguma coisa.

Eu paro rápido e me viro.

— Você se lembra do que aconteceu da última vez que tocou nas minhas tintas?

Ele joga as mãos no ar.

— Eu tinha 10 anos.

— Você pintou o presente de aniversário da minha mãe! Nem sequer pegou uma tela limpa. Simplesmente pintou por cima da que eu tinha acabado de terminar e que levei duas semanas para pintar.

— Sim, e você bateu com ela na minha cabeça. Levou duas semanas para a tinta sair do meu cabelo.

— Bom. Eu faria isso de novo — resmungo.

— Não vou tocar suas preciosas pinturas, seu bebezão. Vá levar um pouco de comida para a menina.

Em vez de discutir mais com o babaca do meu melhor amigo, enrolo a sacola de plástico em volta dos dedos e atravesso os campos escuros em direção à casa de Julia. Bato na porta da frente e espero. Ela deve saber que sou eu, por isso me deixa em pé lá fora no frio congelante por tanto tempo. Talvez esteja pensado que, se não responder, eu vou embora.

Isso não vai acontecer.

— Julia, vamos. Sei que você está aí dentro. Não me faça derrubar a sua porta. — Continuo batendo. — Eu trouxe comida.

— Comida? — ela responde baixinho detrás da porta.

Eu me pergunto quanto tempo ela estava lá, debatendo-se para decidir se deveria ou não abrir a porta para mim.

— Sim. Do restaurante. Ginny a embrulhou.

A fechadura da porta é destrancada com um som estridente e eu seguro a respiração. Seu rosto aparece primeiro, seguido por uma túnica rosa transparente que mal cobre seu shorts e sua regata. Ela já tinha se trocado do nosso encontro e aparentemente estava pronta para dormir.

Ela olha para suas pernas nuas antes de agarrar a túnica e apertá-la na cintura.

— Eu não estava esperando você.

Eu quero agarrá-la e puxá-la com força contra mim. Quero tomar seus lábios como meus. Quero dizer a ela para sempre esperar por mim, de dia ou de noite, ou a qualquer momento que eu bem quisesse. Mas não digo. Em vez disso, estendo a sacola de comida e espero que ela a pegue e tente bater a porta na minha cara, ou me convide a entrar. Quando abre mais a porta, me deixando entrar, tomo como um bom sinal.

— Ginny ia me matar se eu não trouxesse para você — eu digo com uma risada, e ela sorri. — E você sabe que ela perguntaria.

— Nós não podemos ter isso — diz ela, pegando a sacola de comida antes de desaparecer na cozinha, onde eu noto que as flores que eu tinha lhe trazido ainda estão orgulhosamente à mostra.

Eu não teria ficado nem um pouco surpreso se ela as tivesse jogado no lixo no momento em que chegou em casa.

— Sobre mais cedo — começo a dizer, mas ela levanta a mão para me impedir.

— Não. James, não é você. Quero dizer... — ela faz uma pausa por um instante — é você. Mas posso te perguntar uma coisa?

Não era o que eu esperava, ela querendo me fazer uma pergunta...

— É claro.

— O que você quis dizer com *minha família ganhou*? — Ela passa por mim e vai em direção ao sofá, com a comida no prato. Assim que se senta, observo-a dar uma mordida. — Hmmm, isso é bom.

— Teria sido melhor no restaurante com um pouco de vinho — acrescento.

Ela engole antes de limpar a boca com uma toalha de papel.

— Com vinho de quem?

— Sabe, eu realmente pensei sobre isso antes de sairmos. Eu estava um pouco estressado até.

Ela ri alto.

— Você estava? Também pensei sobre isso e imaginei que eu faria o oposto do que quer que você sugerisse.

— Por que você está tão diabolicamente determinada a brincar comigo? — Sento-me no sofá, mas posiciono-me no canto oposto. A última coisa que eu quero é assustá-la.

— Porque é divertido — diz ela antes de dar outra mordida, chutando o pé contra o meu como se tivéssemos feito isso centenas de vezes antes — mas é a primeira. — Agora, a aposta.

Essa mulher adora mudar de assunto.

— Você realmente não sabe?

— Tudo o que eu sei é que a sua família nos acusou de roubar e de ser ladrões e que, aparentemente, vocês tentaram arruinar o nosso nome antes mesmo de termos um? — ela diz isso tudo com uma leve encolhida de ombros.

Caramba... Essa era a única parte da história que ela conhecia?

— Primeiro, *eu* não tentei fazer nada.

— Não quis dizer "vocês" como *você*, James. Quis dizer "você" como a sua família. — Com o garfo, ela põe outro pedaço de comida na boca e me observa, esperando eu preencher todas as lacunas.

— Eu só quero deixar claro que o que aconteceu entre nossos bisavós todos esses anos atrás não teve nada a ver com você ou comigo. Se meu bisavô fez algo para o seu, não fui eu. Eu não estava lá. Você não estava lá. Acho que essa coisa toda é ridícula e já durou tempo demais. Não é?

Ela para de mastigar, como se estivesse contemplando suas palavras antes de dizê-las para mim em voz alta.

— Eu sempre achei que era estúpido, mas, novamente, eu nem sei com o que devemos estar tão bravos, além do que eu acabei de dizer. Toda vez que eu pergunto ao meu pai, ele só esbraveja e grita comigo, mas nunca me dá mais nenhuma informação. Às vezes me pergunto se ele sabe o que realmente aconteceu. Por que mais ele não me contaria?

Balanço a cabeça. O peso das palavras dela me faz sentir como se estivesse preso em um filme ruim sem saída. Como, neste século, as coisas ainda podiam ser tão rudimentares e ilógicas? Por que nossos pais estavam tão empenhados em ficar presos ao passado?

— O que você está pensando? — A pergunta de Julia me tira dos meus pensamentos.

Não tenho ideia de quanto tempo estou sentado lá, sem responder, mas noto que seu prato está limpo e repousando na mesinha de centro à nossa frente. Ela tem um copo de água na mão e está bebendo.

— Que eu não entendo por que nossos pais ainda se odeiam. Eles não precisam, sabe? É tudo uma escolha, e eles escolhem ficar loucos. Eles escolhem continuar essa rixa sem outra razão que não seja o quê? Orgulho? Ego?

A cabeça de Julia balança no que eu só posso supor que seja concordância.

— Eu já pensei muito sobre isso antes. Acho que, pelo menos para meu pai, isso é uma versão distorcida de lealdade e obrigação familiar. O pai dele o criou da mesma maneira que ele continua tentando me criar: para odiar todos vocês, sem questionar o porquê.

— Mas você continua questionando — eu digo com um sorriso de orgulho.

— Sempre.

— Essa é minha garota — falo sem pensar, e ela engasga com a água, tossindo e batendo no peito. — Desculpe — eu respondo, me sentindo um idiota por fazê-la engasgar, mas não pelas minhas palavras. — Não quis dizer... — me atrapalhei. — Só estou orgulhoso, isso é tudo.

A tosse cessa e eu sinto que sua muralha volta a envolvê-la. Cada rachadura que eu tinha feito em sua armadura se funde de novo, e eu sou deixado para fora novamente. Desejo voltar o relógio uns trinta segundos para me impedir de arruinar o momento.

Ela limpa a garganta e respire fundo.

— Primeiro, não sou sua garota. Segundo, por que está tão orgulhoso?

Eu sabia disso: muralha.

— Eu acho que é algo importante você questionar seu pai em vez de apenas aceitar o que ele diz a você. Isso é tudo o que eu quis dizer. Gosto de saber que a sua mente não é influenciada pelos pensamentos dos outros. Não importa quem eles são. Isso é uma coisa difícil de fazer. E é uma qualidade respeitável de se ter.

Ela levanta um dedo.

— Antes de você me dar muito crédito... eu poderia fazer um monte de questionamentos, mas não saio muito em defesa disso. — Ela leva a mão à boca e brinca com os lábios, os olhos se apertando enquanto ela formula o resto dos pensamentos. Eu posso praticamente ver as engrenagens girando. — Eu não concordo nem um pouco com meu pai nesse assunto, mas tenho medo de tirar satisfação.

— Você realmente acha que ele tiraria a vinícola de você?

Como eu posso entrar em seu coração se ela sente que pode perder tudo por causa disso?

Seu cabelo se esparrama sobre os ombros enquanto ela passa os dedos por ele com frustração.

— Eu sei que soa ridículo. Totalmente um exagero, certo? Mas você não conhece meu pai, James. Mesmo que ele não saiba por que deveria odiá-lo, ele ainda o faz.

Olho ao redor da casa dela, minha mente procurando uma resposta nos tijolos aparentes da lareira. Quero consertar isso, consertar a gente, ou pelo menos descobrir como nos dar uma chance, mas não tenho ideia de como convencê-la.

— Sabe que a Jeanine nos chama de Romeu e Julieta? — ela diz e eu sinto sua muralha amolecer.

— Existe uma versão da história em que eles vivem felizes para sempre em vez de morrer?

Uma risadinha escapa de seus lábios.

— Não que eu saiba.

Deslizo no sofá, meu corpo a centímetros do dela.

— Então, acho que ela merece ser escrita.

Vejo quando seu olhar se move entre os meus olhos e minha boca. Sua língua sai e molha o lábio inferior. A combinação dos dois significava apenas uma coisa: ela quer que eu a beije tanto quanto eu quero beijá-la.

— O que você tem em mente? — pergunta ela quando seus olhos se voltam para os meus lábios.

Coloco minha mão na nuca dela, puxando-a para mim, e deixo minha língua e minha boca falarem enquanto torço para que ela não me pare... Esperei a vida inteira por isso.

AMOR OU DESEJO

*O amor é dos suspiros a fumaça; puro, é fogo
que os olhos ameaça; revolto, um mar de lágrimas
de amantes... Que mais será? Loucura temperada,
fel ingrato, doçura refinada.*

ROMEU E JULIETA DE WILLIAM SHAKESPEARE

NADA MAIS IMPORTA... PORQUE OS LÁBIOS DE JAMES SÃO como a minha casa.

Ele é habilidoso, me beijando suavemente, mas com firmeza. Lento em seus movimentos, mas agressivo também, e eu não tenho ideia de como um homem pode comandar tantos sentimentos contraditórios com a boca, mas ele comanda.

Soube imediatamente que meu corpo se dobraria e se curvaria aos seus caprichos, suas mãos controlando nosso passo, sua língua alimentando nosso desejo mútuo. Não consigo me lembrar da última vez em que alguém me fez sentir tão viva. Para ser sincera, não acho nem que já tenha me sentido assim antes. Com a língua de James na minha boca eu mal consigo lembrar da última vez que fiz sexo. Mentira... Eu definitivamente me lembro, mas foi tão horrível que prefiro esquecer.

Eu deveria ter odiado quão confortável era estar nessa posição com ele, mas eu me peguei desejando mais. Beijar James deveria me causar repulsa, me lembrar de que eu estava em território inimigo, mas só me fez querer beijá-lo mais. E, quando ele me levantou como se eu não pesasse nada, antes de me levar de volta para o meu quarto, eu deveria ter lutado contra o que estava vindo em vez de praticamente ansiar por isso.

Verdade seja dita, por vinte segundos considerei parar o que estava prestes a acontecer. Então, seus dedos roçaram minha coxa e esqueci que deveria odiá-lo. Tudo o que eu queria era mais; meu corpo reagiu, meu pulso acelerou e meu coração disparou. Acrescente o fato de que eu estava lutando contra a minha atração e desejo por esse homem durante a maior parte da minha vida, e tinha uma bomba-relógio prestes a explodir entre as minhas coxas.

Não queria mais lutar contra isso.

Mas eu realmente também não queria me odiar por ceder.

— Eu pensei nisso pelo menos umas mil vezes — diz ele, enquanto dá beijos no meu pescoço antes que seus dentes mordisquem minha orelha.

— Pensou? — pergunto sem fôlego.

Ele para de se mexer e olha para mim, seus olhos azuis brilhando.

— Você não?

— Posso ter tido algumas fantasias protagonizadas pela sua barba — admito.

Ele morde o lábio inferior antes de passar a mão por ela.

— Minha barba, hein?

Coloco minha mão em cima da dele e a movo pelo seu queixo.

— Sim. É sexy pra cacete.

— É bom saber. — Ele sorri. — Isso foi a estrela das minhas fantasias — diz ele antes que seu polegar percorra o comprimento do meu pescoço. — Você tem o pescoço mais sexy. — Ele se inclina e beijo-o, antes de ir mais para baixo. — E seus ombros... quis mordê-los por anos — diz ele.

Eu dou risada.

— Meus ombros?

— Pare de repetir minhas palavras, Julia — reclama ele.

Eu me vejo calar a boca. Normalmente eu ficaria muito feliz em discutir com ele, mas gosto demais dessa versão mandona para fazer qualquer coisa que pudesse pará-lo. Seus dedos se movem ao longo das curvas do meu corpo debaixo da regata, minha pele se arrepia com cada toque.

Ele pega a barra da minha regata e puxa em direção à minha cabeça. Eu me abaixo e escuto sua respiração ficar suspensa. Eu estou completamente nua da cintura para cima e é excitante ver a expressão em seus olhos enquanto ele me olha fixamente. Nunca tive problemas de autoestima quando se tratava do meu corpo, mas ver o jeito como James olha para mim é algo completamente diferente. Ele faz com que eu me sinta bonita e desejada sem dizer uma única palavra.

— Quero tocar sua pele e sentir seu gosto desde que eu consigo me lembrar, Julia. Não sei como consegui viver esse tempo todo sem fazer isso. — Ele pressiona os lábios contra o meu peito antes de descer para os meus seios. Massageia um de meus mamilos com as pontas dos dedos enquanto sua boca trabalha no outro. Sua língua percorre meu seio, enquanto seus dentes me mordem, provocando uma dor que não machuca, mas me faz chorar da mesma maneira.

— James! — Minha voz sai soando tão poderosa. Eu devia ter ficado envergonhada, mas estou excitada demais.

— Machuquei você? — ele pergunta, mas sem parar.

Enrolo meus dedos em seu cabelo escuro e puxo.

— Não.

Seus lábios descem para o meu estômago, onde sinto meu abdome se contrair e relaxar a cada respiração.

— Seus quadris são tão sexy. Você tem curvas perfeitas. — Ele morde meu osso do quadril antes de girar sua língua ao redor da marca da mordida.

Eu não tenho ideia do que ele está fazendo, mas amo cada segundo. Parece que nenhum centímetro da minha pele ficará intocado.

Solto o cabelo dele com a mão direita e a coloco em cima do seu ombro. A maneira como seus músculos se flexionam e estiram é tão sexy; eu me vejo apertando seu braço, minhas unhas cravando em sua pele.

— Eu gosto de sentir seu corpo. Seus músculos são tão duros. — Era uma coisa idiota de se dizer, mas eu nunca tinha tocado em James antes, e eu gosto do que o sinto.

Ele vira a cabeça para mim rápido antes de voltar a se concentrar em meu corpo, adorando-o. Passa a língua no meu quadril antes de descer, levando meu short e minha calcinha com ele. Antes que eu possa dizer qualquer palavra, ou me mexer, ou até pensar, James está entre minhas coxas do jeito que eu tinha imaginado tantas vezes antes. A sensação da sua barba contra minhas pernas é o paraíso, mas nada como a sensação de ter sua língua dentro de mim.

— Julia, você tem um gosto bom demais.

Fico de boca aberta com suas palavras. É claro que eu queria que ele pensasse isso, mas ouvi-lo dizer me levava a outro nível. Minhas coxas se abrem ainda mais conforme ele fica mais confortável lá, seus dedos deslizando para cima e para baixo antes que ele os coloque dentro de mim.

— Sentir você é maravilhoso — eu digo em voz alta.

Ele geme contra mim, seu hálito quente aquecendo minha virilha. Sua língua entra e sai até ele chupar meu clitóris, fazendo eu me contorcer. Um braço forte atravessa meu estômago, segurando-me firmemente no lugar. Aparentemente eu me mexo demais, e ele quer que eu pare. Respirando rápido, tento me manter parada, mas não adianta. A língua daquele homem trabalha de um modo que não faz sentido; não há maneira de o meu corpo relaxar. Jogo-me contra ele, meus quadris subindo em sua boca quando meu clímax começa.

— Quero sentir seu gosto quando você goza — diz ele.

É tudo o que eu preciso para me entregar e me soltar completamente. Estremeço e balanço quando sua língua se torna selvagem, lambendo e chupando até eu não aguentar mais, e afastar sua cabeça com uma risada.

— Pare. Por favor, pare.

James se senta e limpa a boca com as costas da mão, sua barba brilhando na luz. Seus olhos brilham com malícia quando ele chega por trás de mim e me puxa para encará-lo.

— Você é linda — diz antes de sua mão envolver meu pescoço e ele me beijar, meu gosto por toda a sua língua.

Hesito por apenas um segundo antes de me jogar, minha língua em sua boca, meus lábios se fundindo com os dele. Eu não consigo ter o suficiente dele.

Quando me solto, caio de volta na cama e vejo quando ele tira as roupas, puxando um preservativo de algum lugar e desenrolando-o todo. Quase me ofereço para fazer isso, mas eu ainda não sou tão ousada. Conforme ele se move para cima de mim, a ponta do seu pau posicionada na minha entrada, levanto meus quadris para tentar forçá-lo a entrar. Ele ri, sabendo muito bem que está no controle; eu abaixo meus quadris de volta para a cama e espero.

— Você vai me fazer implorar? — pergunto, fingindo estar irritada.

— Não. Eu só quis olhar para você primeiro — diz ele.

Meu coração derrete no colchão para nunca mais voltar a bater da mesma maneira. Ficamos desse jeito, olhando um nos olhos do outro pelo que pareceu um minuto ou dois, mas eu tinha certeza de que não era. E, quando ele entrou em mim, nenhum de nós rompeu o contato visual.

Foi tão íntimo, tão completamente conectado. Senti como se mais do que a minha pele estivesse nua para ele; minha alma estava vulnerável, livre para ser tomada. A parte mais reconfortante foi saber naturalmente que ele se sentia da mesma maneira.

Meu corpo se alongou para ele quando entrou em mim, preenchendo-me lentamente. Mesmo nos meus sonhos mais perfeitos não tinha sido assim. Eu não tinha como saber. Não sabia que algo podia ser assim, tão envolvente e emocional. Ele bombeava para dentro e para fora de mim, devagar a princípio, até que seu ritmo começava a acelerar, e minhas mãos estavam em seus ombros, seus braços e seu peito. Eu não conseguia parar de apertá-lo, puxá-lo e querê-lo mais perto.

Eu me perdi na maneira como o corpo dele se movia com o meu, quão receptivo ele era e quanto ele prestava atenção. Se eu vacilava por um segundo sequer, ele percebia e se ajustava. E, quando eu joguei minha perna em sua lombar, ele a tirou e me disse para não o fazer. James era mil vezes melhor no sexo do que eu. Ele me fez sentir como se eu nunca tivesse feito isso antes. Pelo menos não da maneira correta.

Talvez isso seja algo mais do que somente sexo, comecei a me perguntar, mas me impedi de ir tão longe e tão rápido.

— Você está bem? — Ele desliza seus quadris contra os meus antes de se inclinar para me beijar. — Você é maravilhosa. Tão apertada. Tão quente — diz ele entre beijos. — Eu quis isso minha vida inteira.

Ele continua a me beijar com tanta paixão, que eu penso que podíamos explodir. Sinto o peso das suas palavras, a profundidade das suas emoções com cada toque da sua língua.

— Eu não sabia que podia ser assim... — Faço movimentos circulares dos meus quadris contra os dele, criando fricção e sentindo meu orgasmo crescer.

— É porque somos nós, Julia. Não seria assim com ninguém mais. Não poderia ser. — Ele me beija mais conforme seu ritmo aumenta. Eu o sinto crescer dentro de mim e tenho consciência do que está para acontecer. — Vou gozar...

— Eu sei. Eu sinto. — Respiro contra seu pescoço e ele chama minha atenção.

— Olhe para mim — pede ele. — Não desvie o olhar. Não feche os olhos.

Não respondo com palavras, mas faço o que ele pediu. E, quando ele goza dentro de mim, sinto tudo o que ele estava sentindo ao olhar nos olhos dele. Seu corpo estremece em cima de mim, seus gemidos sexy enchem cada canto vazio da minha casa. Eu observo enquanto seu peito arfa e seus músculos se movem entre flexão e relaxamento. O homem é um deus, mas eu estaria perdida se admitisse isso para ele. Fazer isso já era cruzar a linha o suficiente.

Ele desliza para fora de mim e fica sobre suas costas, mas me agarra no movimento. Sem aviso, eu estou em seus braços, minha cabeça deitada em seu peito enquanto ele brinca com meu cabelo úmido.

— Não estrague o momento falando merda sobre o fato de que eu quero te abraçar depois — me instrui ele, sua respiração errática e irregular.

Eu sorrio contra seu peito e me perco no som do seu coração batendo.

— Eu não ia dizer nada. — Mas eu tinha pensado nisso.

72

O som de gritos e discussão invadiu meu sonho, me despertando dele. Pisquei algumas vezes antes de juntar o som familiar do meu pai e do pai de James gritando um com o outro. Havia perdido as contas do número de vezes que eles tinham gritado e ameaçado um ao outro anos a fio. Tentei me mexer antes de perceber que eu estava emaranhada com o corpo nu de James, nossas pernas e braços interligados. Ele era quente. Esqueci por um milissegundo que a noite passada tinha acontecido, mas o som da voz do meu pai gritando me lembrou.

Espere.

Meu pai estava de volta?

Uma batida alta e forte na porta seguida do meu pai gritando o meu nome me faz balançar James violentamente para que ele acorde.

— James! James, você tem que se esconder. — Meus olhos praticamente saltam para fora da minha cabeça conforme eu pulo da cama.

— Esconder? — repete ele como se não tivesse certeza de eu falar sério ou não, conforme responde com um bocejo.

— Meu pai está aqui. Ele não pode ver você. Não sei o que ele faria. Não estou brincando. — Minha expressão é fria como pedra de tão séria, meus olhos implorando para ele enquanto eu puxo meu cabelo em um rabo de cavalo antes de torcê-lo em um coque. Pego meu pijama e me visto rapidamente.

— Fala para onde eu tenho que ir — diz ele, finalmente entendendo a gravidade da situação.

Olho ao redor antes de apontar para o armário, e James pula para fora da cama e se enfia lá dentro. Odeio me sentir como uma adolescente que estava fazendo algo errado, mas agora não é hora para lógica.

— Julia! — meu pai grita novamente.

Grito de volta para ele esperar um minuto. Meu estômago revira quando eu abro a porta da frente e meu pai irrompe lá dentro.

— Por que demorou tanto?

— Estava dormindo. O que você está fazendo em casa?

— Onde está ele?

Ele sabe que James está aqui? Não teria como ele saber, penso, convencendo a mim mesma conforme eu me inflo.

— Onde está quem?

— Eu sei que você saiu com aquele garoto na noite passada.

— Foi só um jantar, pai.

— Quantas vezes já te disse para ficar longe dele? Eu avisei você. Fique longe daquele garoto, Julia. Você não vai vê-lo de novo — grita ele, sua voz cheia de raiva.

Eu odiava quanto a sua raiva era fora de lugar. James não tinha feito nada à nossa família, então por que ele tinha que pagar?

— Não vou? Isso é ridículo, pai. Somos dois adultos — tento me defender, mas meu pai me olha de um modo que me faz lembrar do quanto isso era sério.

Ele enfia a cabeça para dentro da cozinha antes de olhar no banheiro e ir para o meu quarto. Eu o sigo, meio aterrorizada pelo fato de que ele está prestes a encontrar James nu dentro do meu armário.

— O que você está fazendo? Meu quarto está um desastre.

Felizmente ele volta para a sala antes de me encarar.

— Você sempre teve uma queda por ele.

— Não, não tenho — tento argumentar, mas parece inútil neste momento. Aparentemente, eu não tinha sido tão boa em esconder minhas emoções quanto eu pensava.

— Qualquer pessoa com dois olhos pode ver a maneira como você olha para ele. A maneira como você sempre olhou para ele — diz acusadoramente.

Fico vermelha, sabendo que James podia ouvir cada palavra.

— Ele não é o que você pensa — começo a explicar, querendo que meu pai dê uma chance para talvez ver as coisas de forma diferente pelo menos uma vez.

— Ele é um Russo? — meu pai me corta. — Então, isso é tudo o que eu preciso saber. Por que você não pode simplesmente me ouvir? Não se pode confiar nos Russo, Julia. Você acha que esse garoto realmente gosta de você?

Minha boca fica levemente aberta conforme eu luto para encontrar as palavras para combater suas acusações sem confessar meus pecados da noite passada.

— Ah, você acha. Que irônico. Você acha que ele realmente se importa com você?

Meu pai ri e eu não me lembro de me sentir tão pequena ou estúpida antes. Uma coisa seria ouvir essa porcaria de uma garota ciumenta ou de um cara como Todd Lestare, mas ouvir do meu próprio pai era um pouco mais doloroso.

— Ele é um homem bom.

Eu meio que desejo que James apareça e enfrente meu pai comigo, mas sei que isso só causaria mais caos. Isso é algo que eu preciso fazer sozinha. Além disso, o pobre coitado provavelmente estava se balançando no canto do meu armário, se perguntando como tinha entrado nessa bagunça. James ia sair em disparada e nunca mais olhar para trás, e eu não o culparia.

— Tudo o que esse garoto faz é para o seu próprio benefício.

— Por que você diz isso? Você nem mesmo o conhece. — Sento-me no sofá, meus sentimentos todos misturados. Minha cabeça gira com palavras como *traição* e *deslealdade,* enquanto meu coração está no exato oposto, feliz por eu ter finalmente cedido.

— E, depois de um jantar, você acha que conhece? Os Russo mentem e manipulam para conseguir o que eles querem. Isso ainda não funcionou a favor deles, e eu serei um desgraçado se funcionar debaixo do meu nariz!

— O que James pode possivelmente querer de mim?

— Nossas vinhas — meu pai rosna em resposta.

Eu me recuso a aceitar suas opiniões tão facilmente. Não desta vez.

— Ele tem as dele.

— Você sabe que as vinhas do lado sul são diferentes. Ninguém as tem. Eles vêm tentando roubá-las há anos. Não consigo imaginar que parariam agora.

— Pai.

— Veja ele de novo e você está fora. — Seu rosto endurece. — Não me teste, Julia.

Ele sai do meu pequeno bangalô e bate a porta atrás dele, fazendo com que os quadros das minhas paredes tremam. Eu afundo nas almofadas do meu sofá e coloco a cabeça entre as mãos.

— Bem, isso foi divertido. — A voz de James me dá um susto e eu dou um pulo, meus nervos completamente em frangalhos. Ele espia por uma das minúsculas janelas antes de virar a chave na porta. — Você não estava brincando. — Ele se senta ao meu lado no sofá antes de passar o braço em volta do meu ombro e me puxar contra ele. — O ódio é profundo.

— Quanto você ouviu?

— Tenho certeza de que ouvi todas as palavras. — Ele dá um beijo na lateral da minha cabeça. — Só gostei das partes em que ele falou que você tem uma queda por mim. O resto foi horrível.

Forço um sorriso antes de virar meu corpo para encará-lo.

— Eu não tenho uma queda por você — finjo argumentar, mas é inútil, especialmente depois da noite passada.

— Bem, eu com certeza tenho uma por você — diz ele sem um pingo de vergonha, e eu desejo ter a sua coragem. — Então, como vamos consertar isso? — pergunta ele.

Eu lhe lanço um olhar confuso.

— O que você quer dizer? — Não há nada para consertar.

— Julia. — Ele agarra minha mão e a segura. — Quero estar com você. A noite passada foi incrível. Você pode realmente se afastar do que começamos?

— Você ouviu o que meu pai disse. — Meus olhos começam a lacrimejar, e a última coisa que eu quero fazer é chorar na frente de James.

— Vamos fazê-lo mudar de ideia. — Ele soa tão confiante, como se fosse a coisa mais fácil do mundo. — Vamos fazê-lo ver quanto estamos felizes e que não estou tentando enrolar você.

— Nós não podemos — eu digo, sabendo que meu pai não daria ouvidos a nada que um Russo tinha para dizer.

— Nós podemos.

— Ele não vai ouvir.

Meu pai não era um homem piedoso ou compreensivo.

— Nós ainda nem tentamos — responde ele, com seu tom razoável e lógico, outras duas qualidades que meu pai não tinha.

— É que... — Eu engasgo com minhas palavras, meus pensamentos e minhas emoções enquanto ele se levanta do sofá, parecendo um cavaleiro de armadura brilhante. — Isso tudo está acontecendo muito rápido — minto.

— Muito rápido? — Os olhos de James praticamente rolam para fora de sua cabeça. — Eu estou apaixonado por você desde que eu era criança. Não tem nada mais lento do que a nossa história.

— Desculpe. — Eu me levanto e começo a andar. — Você tem que ir. — Então, começo a surtar. — Certifique-se de que ninguém te vê. Você pode fazer isso?

Ele abaixa a cabeça e a armadura do meu cavaleiro brilhante parece enferrujada e derrotada.

— Não quero perder você.

— Foi só uma noite, James. Você nunca me teve. — Minhas palavras são duras e amargas. Eu me odeio por mentir, mas é a única maneira de fazê-lo sair, e eu preciso que ele faça isso.

Mas, conforme vejo meu plano funcionar, o observo ir, me perguntando o que eu tinha acabado de fazer.

DESTRUIDORA DE CORAÇÕES

*Serei teu à tua ordem, apenas
chama-me de amor.*

ROMEU E JULIETA DE WILLIAM SHAKESPEARE

SE EU PENSAVA QUE JULIA NÃO PODERIA PARTIR MEU CORA-ção de novo, estava completamente enganado. Com certeza senti isso quando fiz o caminho para fora da porta e entrei na parte distante da vinha onde eu esperançosamente não seria visto por ninguém. Mas, para ser sincero, parte de mim queria que eu fosse pego.

Corri para a minha mãe no segundo em que abri a porta da frente.

— James, é você que está entrando? — Ela me olha de cima a baixo.

— Eu só estava no celeiro — digo quando passo por ela.

Meus pais tinham aumentado a casa e agora viviam em uma suíte master gigante no térreo, que deixava todo o 2º andar à minha disposição. Eles me deram a minha privacidade, e eu dei a eles a sua.

— É claro, querido — diz ela, claramente vendo minha mentira. Felizmente ela não me fez mais questionamentos.

Subo três degraus antes de parar.

— Ei, mãe?

— Sim?

— Os La Bella sabem mesmo sobre a aposta? — Não preciso elaborar ou lhe dar mais dicas. Minha mãe sabe exatamente o que eu estava perguntando.

— Sempre supus que sim. — Ela me olha com uma leve confusão nos olhos.

— Você nunca falou com a Sra. La Bella antes, falou?

Minha mãe olha ao redor da sala para se certificar de que meu pai não pode ouvir.

— Na verdade, não, mas sempre quis. Também não podemos ser amigas, você sabe. — Era fácil esquecer que Julia e eu não éramos os únicos que sofriam as consequências da briga de nossos pais. — Por que você pergunta sobre a aposta?

— Foi só por algo que a Julia mencionou de passagem outro dia. Não acho que ela saiba algo sobre isso, exceto as partes da história que contam que seu bisavô tentou pegar de volta as terras da família dela.

Ela encolhe os ombros, indiferente.

— Isso parece um pouco improvável...

A aposta tinha acontecido envolvendo ambos os lados paternos. Julia era a primeira garota nascida nas nossas duas famílias desde que a rivalidade começara. Uma relação de amor entre os Russo e os La Bella nunca tinha sido uma opção antes, e era por isso que eu tinha certeza de que seu pai a criara sob ameaças para ficar longe de mim.

— Eu também achava isso, mas não creio que ela estava mentindo.

— Sabe, eu acho que faria sentido — minha mãe começa a dizer, sua mente claramente girando em uma nova direção.

— Como assim?

— Se você só transmite as partes em que agiram mal com você, então mantém a rixa viva. O ódio e a raiva parecem justificados. Eu posso ver como, ao longo dos anos, certas partes foram retiradas do lado deles da história.

— Sim, acho que podia ver isso — concordo antes de ficar um pouco agitado. — Mas meio que torna tudo pior.

— O que você quer dizer?

— O fato de eles nem mesmo conhecerem toda a história e escolherem viver a vida com esse total desprezo pela nossa existência.

— Eu começo a me entusiasmar, minhas emoções trazendo o meu melhor enquanto penso em todas as palavras que o sr. La Bella tinha dito sobre mim.

— Sabe, James, só para que conste — minha mãe me oferece um sorriso malicioso antes de recuar —, sempre gostei da Julia. Ela é uma garota esperta. Talentosa. Motivada.

Ela desaparece na cozinha antes mesmo de esperar pela minha resposta. Ouvir minha mãe aprovar Julia é um presente que eu nunca soube de que precisava ou queria.

Subo o resto das escadas, dando uma pausa quando noto Dane dormindo no quarto de hóspedes, a porta do quarto aberta. Ele havia ficado durante a noite, e eu não tinha nem notado o carro dele — não que eu o estivesse procurando. Eu estava muito ocupado tentando não levar um tiro ao passar pela propriedade La Bella. Depois de ouvir o pai de Julia esta manhã, percebi que ele estaria disposto a atirar em mim primeiro e a fazer perguntas sobre o meu cadáver depois.

Decido acordar Dane. Ando até a cama, balanço seus ombros e digo seu nome três vezes. Ele começa a se mexer antes de abrir os olhos.

— Cara. Finalmente. — Ele pega o telefone e olha para o aparelho. — Você ficou lá à noite? Está voltando agora? — Sentando-se, ele esfrega os olhos. — O que aconteceu? Conte-me. Vocês ficaram?

Muito embora eu tivesse me preparado para isso, ele faz muitas perguntas.

— O pai dela veio para casa. — Decido que começaria com aquela pequena pérola de informação.

— Merda. Ele viu você? Você está morto agora? — Ele empurra meu peito com o dedo. — O.k. Esse não é o fantasma James. Continue.

— Nós conversamos e eu tenho certeza de que ela sabe sobre vinte por cento da história das nossas famílias. Sempre supus que ela soubesse de tudo. Nunca entendi por que ela odiava tanto a minha família quando deveria ter sido o contrário, mas eu aceitava. Como um tolo, simplesmente aceitei tudo isso sem lutar ou questionar.

— Eu sabia disso. Sabia que ela não sabia. — Ele estala os dedos como se tivesse tropeçado em algum conhecimento que alterasse o mundo. — Então, você contou a ela toda a história?

— Eu comecei, mas aí ela falou sobre *Romeu e Julieta*, e eu devo ter ficado um pouco distraído.

Recuso-me a atualizar Dane sobre cada detalhe da noite que eu tinha compartilhado com Julia. Algumas coisas eram privadas, e, mesmo que eu tenha contado tudo no passado, desta vez parecia diferente. Eu me importava demais com ela para contar tudo.

Dane solta uma risada alta enquanto ajusta o travesseiro atrás das costas.

— Merda. Como eu nunca fiz essa associação antes? Vocês são os Montéquios e Capuletos dos dias de hoje. Por que eles se odiavam? Pela mesma razão que vocês? Uma aposta ruim que deu errado?

E agora Dane está completamente distraído.

— Não tenho ideia. Leia o livro e retorne para mim — digo, tentando o meu melhor para parecer irritado. — Você pode se concentrar, por favor?

— Pare de gritar comigo. — Ele boceja. — Conte-me que pelo menos você beijou a garota — diz ele, com um tom cheio de esperança, mais do que qualquer outra coisa.

Concordo em resposta. Quando seu rosto praticamente se ilumina, tenho que me conter para não sorrir de volta.

— E então o quê? O pai dela veio e interrompeu o resto?

— Ele não apareceu até esta manhã. Talvez tenha acontecido de eu ter que me esconder no armário — eu digo completamente envergonhado, como se tivesse queimado um buraco no carpete em vez de olhar para a cara dele.

— Talvez tenha acontecido? — pergunta ele, segurando a risada.

— Pois é... — Olho bem para ele. — Eu definitivamente tive que me esconder no armário.

Ele explode, a risada espalhando-se.

— Desculpe, mas eu não posso. — Ele continua a rir, seu corpo inteiro balançando. — Cara! Então agora o quê? Você vai vê-la novamente ou foi só uma vez, algo do tipo ficar e tirar essa pendência do caminho?

Minhas vísceras se enfurecem instantaneamente. Ficar só uma vez com Julia nunca tinha sido minha intenção.

— Você sabe que não é bem assim.

— Sei que não é pra você, mas é pra ela? Chegou a perguntar? Vocês estão na mesma sintonia?

De repente, fico nervoso quando as últimas palavras de Julia soam na minha cabeça.

— *Foi só uma noite, James. Você nunca me teve.*

Ouvi-las serem repetidas, mesmo que só na minha cabeça, é tão brutal quanto ouvi-las sendo derramadas dos lábios dela pela primeira vez. Meu peito dói instantaneamente.

— Não tivemos chance, na verdade. O pai dela a ameaçou. Ele a lembrou de ficar longe de mim. Então ela me expulsou e aqui estou eu.

As sobrancelhas de Dane se unem.

— O pai dela a ameaçou? Como?

Isso era uma coisa que eu não tinha escrúpulos para compartilhar, então o atualizo sobre tudo o que eu tinha ouvido do armário. Dane fica tão chocado quanto eu fiquei na hora. Aí sua expressão se transforma novamente em algo ilegível.

— Tem certeza de que não ouviu errado ou interpretou mal de alguma forma?

— Tenho certeza.

Seus olhos percorrem a sala, enquanto sua cabeça balança no que tinha que ser incredulidade.

— Uau. Acho que ele deve odiar você mais do que o seu pai a odeia.

— Eu não acho que haja nenhuma comparação, para ser honesto. Meu pai nunca disse nada nem remotamente perto das coisas que o pai dela disse a ela.

— Que deserdaria o próprio filho? Isso está seriamente confuso.

Dane começa a se mexer desconfortavelmente e eu sinto a dor dele. Eu sei bem como é. Vivi isso por tanto tempo quanto podia me lembrar.

— Eu sei, mas... — Paro e torço minhas mãos unidas. — O que eu faço com relação a isso?

Ele se endireita imediatamente.

— O que você quer fazer sobre isso?

82

— Quero a garota — digo sem pensar, mas essa é a verdade, então não a retiro.

— Então vamos consegui-la — ele argumenta com um sorriso largo, e eu me pego quase acreditando que isso é possível de verdade.

— Como? — pergunto, porque precisávamos de um plano.

— Boa pergunta. — Ele começa a bater um dedo contra o queixo enquanto pensa. — Você pode aparecer com um anel e uma proposta.

— Hã... — Eu estico meu pescoço e olho para ele como se fosse louco. Porque ele claramente é.

— Só estou dizendo que você podia pular todas as coisas no meio e ir direto para a parte boa — ele oferece com um encolher de ombros.

— Sim, isso não é nem de longe um bom plano, muito menos um plano sensato.

— Só estou tentando ajudar — diz ele todo inocente, e eu dou uma gemida, esperando por uma nova ideia. — O.k. Deixe-a com ciúme, então.

Meu interesse subitamente sobe algumas dezenas de pontos, meu ego obviamente é fã desse tipo de ideia.

— Continue.

— Chame a Jeanine para sair — sugere ele; disparo um olhar que diz que eu prefiro morrer a cruzar essa linha. — Legal. Chame qualquer outra mulher da cidade para sair e se certifique de que ela saiba. Isso vai deixá-la tão louca, que ela virá correndo de braços abertos e pulará no seu colo.

Meu coração despenca dentro do peito conforme a realidade me atinge em cheio.

— Não, ela não viria. Ela não veio correndo quando eu namorei no passado. Tentar fazê-la sentir ciúme só lhe daria motivos para que se afastasse. Se ainda estivéssemos no ensino médio, talvez eu seguisse por esse caminho, mas não agora. O que mais você tem?

Ele ri antes de juntar as mãos.

— Hã, você poderia finalmente fazer um vinho melhor do que o dela e ganhar a competição uma vez.

— Otário — murmuro sob um suspiro, porque nós dois sabíamos que Julia tinha algo que eu não tinha quando se tratava de criar as combinações perfeitas.

Dane cobre a orelha com a mão em concha e se inclina para a frente.

— O quê? Não entendo bem isso.

— Mesmo que eu de alguma forma a vencesse na próxima competição, como isso a conquistaria?

— Não sei. Talvez ficasse tão furiosa de ter perdido que iria querer saber o que você fez para ganhar. Conhecendo a Julia, ela não sairia do seu lado até que você contasse tudo. Você a teria te seguindo pela vinícola até que confessasse.

Dane está absolutamente certo, e eu me vejo sorrindo com a ideia de uma Julia excitada em meus calcanhares, exigindo saber exatamente como eu a vencera. Não era a pior ideia do mundo, mesmo que fosse quase irrealizável.

— Vamos colocar essa na lista.

— Merda, eu deveria estar anotando isso? — pergunta ele, enquanto pega seu telefone e começa a digitar freneticamente na tela.

— Sim. Agora, o que mais? — Eu espero por mais ideias tolas de Dane que esperançosamente provocariam a ideia certa em mim. Às vezes, o *brainstorming* é a melhor maneira de descobrir que direção seguir.

NÃO MAIS QUE LA BELLA

*Todo mundo é capaz de dominar uma
dor, exceto quem a sente.*

ROMEU E JULIETA DE WILLIAM SHAKESPEARE

Julia

DEPOIS QUE JAMES SAIU NESTA MANHÃ, CHOREI NO
banheiro. Era como se todas as emoções que eu controlara minha vida
toda fossem derramadas naqueles momentos enquanto eu segurava
meus joelhos contra o peito e balançava para a frente e para trás. Eu
nunca esperei sentir tanto, mas me entregar a ele, a única pessoa com
quem eu estava proibida até de falar, era um nível totalmente novo
de... bem, *tudo*.

Eu sabia que tinha atração por James, mas não tinha ideia de que
fazer sexo com ele me faria sentir como agora, como se meu mundo
tivesse mudado. Minha realidade parecia rearranjada, diferente de
alguma forma. E não era pelo fato de que estarmos juntos supostamente estava errado. Para ser sincera, nenhum outro cara tinha parecido ser tão certo para mim. James e eu estávamos ligados agora, de
uma forma que nenhum de nós poderia retificar ou apagar — não que
eu fosse fazer isso.

Aparentemente, não foram apenas nossos corpos que se entrela-
çaram na noite passada. Algo mais profundo também havia mudado
e um novo vínculo tinha se formado. Eu podia senti-lo vivendo e

respirando dentro de mim; implorava por mais de James, ansiando por permanência.

Mas eu não podia dar a ele o que ele precisava.

Depois de me recompor e de dar uma última esfregada nos olhos para secar as lágrimas, decido me distrair com o trabalho, embora este seja tecnicamente meu dia de folga. Ganhar a competição significava que eu tinha um novo selo de edição limitada para fazer e um novo vinho para engarrafar, e estava ansiosa para começar.

Eu ainda não tinha esvaziado meu carro, e precisava fazer isso antes de entrar no celeiro de engarrafamento. No segundo em que dou a volta pelo canto do meu carro, vejo James e o pai em lados opostos do celeiro. Calafrios percorrem o meu corpo todo enquanto eu tento fingir que não tinha me afetado com sua presença e que não o havia notado.

James pigarreia, mas eu evito estabelecer contato visual. Ele o faz novamente, mas ainda resisto. Meu pai ia ficar descontrolado se nos visse conversando, especialmente depois do aviso que deu nesta manhã. Além disso, ver o pai dele lá fora também me deixou nervosa.

Como ele reagiria à ideia de sermos amistosos? Eu me pergunto.

— Você realmente vai continuar fingindo que não me vê? — grita ele do outro lado dos nossos terrenos, e isso chama minha atenção.

Lanço-lhe um olhar malicioso antes de dar uma olhada para ver se seu pai está nos observando ou não. Não está, mas, se olhares pudessem matar, eu sabia que o meu teria feito James cair de costas.

Ele é doido? Está tentando me colocar em apuros?

Aperto o botão no controle remoto e observo o porta-malas se abrir, ignorando James, embora possa ver que ele havia parado o que quer que estivesse fazendo e ficado na minha frente, na minha direção.

— Estamos de volta a isso? Estamos realmente de volta a isso?

Olhando para ele mais uma vez, amoleço, meus olhos implorando para ele ficar quieto, quando ouço o som da porta da frente da casa dos meus pais se abrindo. Não preciso nem olhar para saber que é meu pai. Faz muito tempo que eu memorizei o som de seus pés batendo no chão a cada passo.

— Julia, vá para dentro de casa.

— Pai, pare. Não é o que você está pensando. — Eu engulo em torno do nó agora firmemente alojado na minha garganta, porque é exatamente o que meu pai está pensando.

— Vá para dentro de casa agora.

Seu dedo gorducho aponta para a porta e eu relutantemente sigo sua ordem, mais uma vez me sentindo como uma criança. Opto por lançar um último olhar na direção de James, e isso é a minha ruína. Ele está observando cada movimento meu, e meu pai também nos observa; a raiva em seu rosto aumentando a cada segundo.

No momento em que entro pela porta da frente, ouço a gritaria. É o sr. Russo e meu pai gritando um com o outro, mas eu não entendo sobre o que exatamente. Suas vozes aumentam e, quando me movo para olhar pela janela, vejo os dois homens cara a cara gritando um com o outro. Eu me pergunto se esse seria o dia em que sairiam na porrada. James salta entre eles, segurando-os a um braço de distância. A gritaria continua, e, justamente quando eu penso que não aguento mais essa situação e estou prestes a sair, os dois homens chutam a poeira um para o outro antes que meu pai saia, vindo direto para mim.

Eu não sei o que fazer comigo mesma; meus nervos estão em frangalhos. Quando meu pai entra em casa, o rosto dele é de um tom não natural de vermelho, e eu não consigo me lembrar da última vez em que o vi tão louco.

— Arrume suas coisas, Julia.

Meu estômago parece ter caído nos joelhos quando a bile sobe instantaneamente na minha garganta.

— O quê? Pai, você não pode estar falando sério. — Olho ao redor da sala, procurando por qualquer sinal da minha mãe.

Onde ela está?, pergunto a mim mesma.

Ela não deixaria isso acontecer sem algum tipo de luta, deixaria?

Eu honestamente não tenho ideia do que a minha mãe faria nessa situação. Sei que ela ficaria dividida, mas tomaria partido de quem?

— Eu te avisei — meu pai diz, sua voz fria desprovida de qualquer emoção. — Falei para você ficar longe dele e você me desafiou de propósito. Você acha que não sei dizer o que está acontecendo? A única coisa, Julia — diz ele, enquanto me lança o olhar mais severo —, a única coisa que eu te pedi. Você não vai humilhar mais esta família. Você obviamente não entende o conceito de lealdade, muito embora eu tenha te criado com ele. Tenho certeza de que seu bisavô está se revirando no túmulo agora. Pegue suas coisas e saia.

Meus olhos começam a lacrimejar. Sei que meu pai consideraria fraqueza se eu chorasse na frente dele, mas não consigo impedir que as lágrimas caiam.

— Para onde eu devo ir?

— Isso não é mais problema meu.

Ele pega um sanduíche que está no balcão, que eu não tinha notado antes. Vejo quando ele o leva à boca e dá uma mordida, como se não desse a mínima importância. Mastiga o pão e a carne como se não tivesse acabado de expulsar sua única filha da única casa que ela tinha conhecido. Ele se senta ali, mastigando e engolindo a comida, e eu não consigo me imaginar comendo novamente. Meu estômago revira com o pensamento.

— Não tenho certeza do motivo de você ainda estar aqui.

Saio cambaleando pela porta dos fundos em direção à casa de hóspedes. Uma vez lá dentro, pego uma mochila de viagem no mesmo armário em que James tinha se escondido nesta manhã. *Realmente tinha sido só uma porção de horas atrás?* Pareciam dias. Todos os sentimentos e emoções que James incitara dentro de mim soam tão distantes agora.

Olhando ao redor, não tenho certeza por onde começar. De quantas roupas eu vou precisar? Por quanto tempo eu estarei fora? Teria permissão para voltar aqui? Não tenho ideia, e eu deveria ter procurado uma mala, mas estou muito perplexa e chocada para pensar com clareza.

Jogando roupas e produtos de higiene pessoal aleatórios na mochila o mais rápido que posso, disco o número de Jeanine e pressiono o telefone contra o meu ombro com a cabeça.

— E aí, maravilhosa? — responde ela com a voz animada.

As lágrimas continuam a cair enquanto eu luto para encontrar minha voz.

— Ei. Posso ficar com você por um tempo? — Minha respiração está irregular.

— Você está chorando? Julia? O que aconteceu? — Suas perguntas são frenéticas, mas, antes que eu possa responder, ela continua: — Mas é claro que você pode ficar aqui. Você precisa que eu vá te buscar?

— Não. Logo estarei aí. — Minha respiração para e volta enquanto eu tento soar como se meu peito não estivesse tremendo.

— James fez algo a você? Eu vou feri-lo. Pendurá-lo pelas bolas na frente da prefeitura.

Eu queria rir, mas o riso morreu em algum lugar bem lá dentro de mim.

— Vou te contar tudo quando eu... — faço uma pausa para soluçar — chegar aí, o.k.?

— O.k. — A voz dela soa preocupada. — Dirija com cuidado. Estacione na minha vaga de visitante. Fique o tempo que você precisar.

— Obrigada — consigo dizer antes de terminar a ligação.

Olhando ao redor, decido que vou comprar ou pegar emprestado qualquer coisa que tiver me esquecido de colocar na mochila. Estou com medo de que, se demorar muito para sair, meu pai me force a ir apenas com as roupas do corpo. Eu ainda não posso acreditar que ele está fazendo isso. Esse sempre tinha sido o meu maior medo, e agora ele está se tornando realidade. Eu acreditava que as ameaças do meu pai eram reais, mas uma parte de mim ainda está chocada por ele ter seguido em frente com elas. Eu realmente tinha feito algo tão horrível que justificasse esse tipo de punição?

Entro no meu carro e ligo o motor antes de esperar alguns segundos para ver se alguém viria me impedir. Talvez minha mãe aparecesse de onde quer que ela estivesse para me dizer que isso tudo era algum enorme mal-entendido e que ela tentaria consertar. Mas, quando ninguém vem, aceito a verdade e piso no acelerador.

Dirigir até o apartamento de Jeanine no centro da cidade era um feito por si só. Meus olhos nunca tinham estado tão embaçados. Felizmente, chego inteira e não machuco ninguém no processo, em parte porque parei duas vezes e esperei até poder voltar à estrada com segurança.

Dirigindo até a familiar vaga de visitante, desligo o motor, pego a mochila e me arrasto pelas escadas até o 2° andar. A porta se abre antes mesmo que eu possa levantar a mão para bater, e Jeanine me puxa em um abraço, o que naturalmente faz com que as lágrimas voltem a cair novamente.

— Entre aqui. Conte-me tudo.

Então eu conto...

Conto a ela sobre o nosso jantar. Quando lhe pergunto sobre a aposta que todos na cidade pareciam estar sabendo, ela alega que nunca tinha ouvido falar disso antes, e eu acredito nela. Relutantemente continuo e relato minha fuga no meio do jantar, pela qual ela me chama de frouxa, mas então muda de tom depois que fica sabendo que isso tinha levado James a aparecer na minha porta com comida na mão e uma noite inesquecível na cama. Ela então me chama de gênio.

Passo para o seu sofá enorme, enquanto ela continua de pé, claramente muito envolvida com tudo o que eu tinha dito. O sofá dela é do tipo gasto, que abraça o seu corpo no instante em que você se senta nele. Ao alcançar um cobertor, me cubro enquanto ela fica de pé com as mãos nos quadris, me ouvindo falar. Seus olhos ficam úmidos quando conto o que havia acontecido com meu pai. Ela tinha sido uma presença constante em nossa casa, tendo crescido lá, então realmente a machuca ouvir essa parte da história, especialmente quando ela não sabia nada sobre as ameaças até outro dia, quando eu as confessei. Eu tinha feito um trabalho extraordinário em manter alguns assuntos de família só para mim.

— Não acreditei em você quando me contou antes. Digo, acreditei em você, mas imaginei que estava exagerando. Isso faz de mim uma má amiga? — Ela puxa uma de suas banquetas e se senta.

— Não, mas eu não sou do tipo exagerada — digo na defensiva.

— Eu sei que você não é. É só que a ideia do seu pai te expulsando é dura de entender para mim. É muito louca. Muito irracional. Não que seu pai seja louco, mas, na verdade, fazer você sair de casa é loucura.

— Eu sei.

— Onde estava sua mãe durante isso tudo?

— Não tenho ideia. Eu nem sei se ela estava em casa.

— Ela não vai deixar seu pai fazer isso, Julia. Você acha?

Eu honestamente não tenho ideia do que minha mãe faria uma vez que ela descobrisse.

— Nunca pensei que meu pai fosse *realmente* me expulsar, então não tenho certeza. Ou ela fica do lado do homem dela ou diz para ele que está sendo irracional? — Encolho os ombros de forma indecisa. — Acho que ela podia tomar qualquer caminho.

— Isso é realmente *Romeu e Julieta* ganhando vida — diz ela.

Eu não posso nem discordar desta vez ou brincar de volta dizendo que não é nada disso.

— Será que você não tem permissão para ir trabalhar? — Jeanine sabe que a vinícola é a minha vida. É o ganha-pão de nós duas. — Espere, isso significa que eu também estou desempregada? — Seu rosto se comprime de dor, e eu percebo que não tenho uma resposta para ela. — Não que isso importe. Eu só preciso saber se devo aparecer amanhã ou não.

— Honestamente, não tenho ideia. Mas, sim, você definitivamente deveria aparecer. Se meu pai quiser que você se vá, faça-o dizer na sua cara — eu digo, meu espírito se sentindo um pouco menos fraco e um pouco mais animado.

— Bem, você sabe que pode ficar aqui pelo tempo que precisar. Eu já arrumei o quarto de hóspedes para você. E dividir o banheiro vai ser divertido. Certo?

Ela puxa o cabelo para trás e o amarra em um pequeno nó que parece fofo. Eu tentei isso uma vez e acabei parecendo um rato careca.

— Sim. Vai ser como se fôssemos irmãs. Podemos brigar por maquiagem, espaço no balcão e essas coisas. — Eu ofereço um sorriso pela primeira vez.

Jeanine passa da banqueta para o sofá.

— Você acha que James sabe o que aconteceu? Tipo, você acha que ele te viu ir embora?

— Não tenho ideia.

— Bem, você vai contar para ele?

— Eu não estava planejando falar mais com ele — eu respondo, e falo sério.

Ele é a única razão pela qual eu estou nessa confusão, em primeiro lugar. Por causa dele eu quebrei a única regra dura que já havia recebido em toda a minha vida. E, ao fazer isso, perdi tudo.

— Sei... Então você vai fingir que a noite passada nunca aconteceu? — ela pergunta ceticamente.

— Eu fiz isso antes. Não é tão difícil — eu a lembro, referindo-me a uma ficada minha de seis meses atrás. Depois que acabou, tirei isso da minha mente e nunca pensei sobre o assunto de novo.

— Antes não foi com o James.

— O James não muda nada — eu digo, tentando me convencer de que é verdade.

— O James muda tudo. — Ela revira os olhos para mim e solta um longo suspiro. — Você pode ser honesta pelo menos com você mesma?

Seu tom é suave e me envia diretamente para o penhasco emocional no qual eu mal me agarro.

— Não. — Eu estou sentada, balançando a cabeça de um lado para o outro. — Não posso ser honesta comigo mesma. Estar com James não é uma opção para mim. Então, eu tenho que mentir para você, para mim, para qualquer um que pergunte. Tenho que fingir que não o quero. Tenho que me convencer de que ele não importa.

O rosto dela se aperta.

— Você já perdeu seu emprego, Julia. Você não precisa perder o cara também.

Sua declaração soa com certo ar de verdade que eu não quero aceitar. Eu não posso me permitir acreditar no fato de que a vinícola está perdida para sempre. Ela não pode estar perdida definitivamente. Quero poder voltar para casa e administrar aquilo que é meu por direito.

— Eu ainda não estou disposta a desistir da vinícola.

— Eu entendo isso. Só acho que você deveria poder ter os dois. Tem que haver uma maneira. Você não acha que tem que haver algum tipo de acordo?

Olho em volta antes de apontar minha mochila no chão, lembrando-a exatamente o porquê de eu estar ali.

— Não parece haver.

— Então, você realmente ficaria bem em sacrificar o cara dos seus sonhos pelo seu trabalho?

Um riso escapa da minha garganta.

— O cara dos meus sonhos? E não é qualquer trabalho, Jeanine. É a minha família. É o nosso legado. É aquilo pelo que trabalhei a minha vida inteira. Eu cresci na nossa vinícola e sempre soube que ela seria minha um dia. Se ela não ficar na família, então para onde vai?

Ela não esconde sua desaprovação.

— Talvez seu pai devesse ter pensado nisso antes de chutar você para fora e de fazer essa exigência ridícula.

Eu poderia dizer que ela está escondendo alguma coisa. Eu posso ver escrito na cara dela, então a incito.

— Diga.

Ela levanta as sobrancelhas e me dá uma olhada.

— Eu sei que há mais coisas nessa sua cabeça. Desembucha agora.

Seus lábios franzem conforme ela admite:

— Apenas me ouça primeiro antes de interromper, o.k.? — ela pede. — Eu acho que você poderia ter os dois. Acho que você poderia ter James e ainda trabalhar numa vinícola. Você é loucamente talentosa, e muitas empresas ficariam feliz em ter você na equipe. Eles provavelmente começariam a Terceira Guerra Mundial tentando competir com você. Você tem que parar de agir como se o negócio da sua família fosse o único lugar na cidade para trabalhar. Se você ama produzir vinho e fazer o que você faz, pode fazê-lo em outro lugar. Você só está sendo cabeça-dura e medrosa.

Começo a falar, e ela espalma a mão no ar para me impedir.

— Ei. Você prometeu. — Fecho minha boca e ela continua. — Você realmente precisa se perguntar pelo que está lutando e por que está lutando tanto por isso. Eu reconheço que você sente uma obrigação para com sua família, e entendo. Mas, se custa a sua vida pessoal, não parece justo. — Sua cabeça está balançando enquanto suas sobrancelhas se unem. — Você está disposta a se afastar do James porque se

93

adequou às exigências do seu pai. Ele enfiou na sua cabeça que ou é um ou o outro. Mas isso não é verdade. E, mesmo que fosse, você realmente ficaria bem em desistir do James para sempre, fingindo que ele não é a única pessoa no mundo feita para você?

— Já posso falar? — sussurro.

Ela me lança um olhar severo.

— Você teve medo de decepcionar seu pai a sua vida inteira. Eu vejo isso muito claramente agora, mais do que nunca. Mas e o fato de ele estar decepcionando você? Se continuar a viver sua vida em função de todos os outros, então não estará vivendo para você mesma. Eu receio que você olhe para trás e se odeie por isso um dia. Em algum momento, você tem que parar de se preocupar com quem está decepcionando e perceber que, toda vez que vai contra o seu coração, está decepcionando a si mesma. E isso é bem pior.

O silêncio paira no ar entre nós conforme eu espero mais palavras serem despejadas de seus lábios, para que eu possa acrescentá-las ao ciclone de pensamentos que agora gira na minha mente.

Quando não há mais palavras, ela diz:

— Tudo bem, você pode falar agora.

— Nunca pensei em trabalhar para outra pessoa antes — afirmo, me sentindo meio idiota; parece uma solução tão simples. Eu sei que quase qualquer vinícola me contrataria, mas nunca tinha considerado essa opção. Não tenho certeza de querer isso. É uma grande questão — desistir do meu legado e do que deveria ser meu por direito sem pensar duas vezes.

— Então, em que você está pensando? — a voz de Jeanine soa esperançosa pela primeira vez desde que cheguei, mas eu sei que minha resposta vai mudar isso.

Dou um suspiro.

— Honestamente? Eu estou pensando que não sei como me afastar da minha família e ainda estar bem com isso. Mas sei como me afastar de James. Tenho feito isso a minha vida inteira.

O SOLUCIONADOR

*Se você não tem fracassos na sua vida,
é porque deixou de assumir os riscos
que deveria.*

ROMEU E JULIETA DE WILLIAM SHAKESPEARE

MEU TELEFONE TOCA COM UM NÚMERO QUE RARAMENTE me ligava durante a minha vida, mas eu o salvara mesmo assim.

— Jeanine — falo no viva-voz, me perguntando por que exatamente ela está ligando.

— Preciso falar com você — diz ela.

Eu soube instantaneamente que ela estava ciente do que havia ocorrido entre mim e Julia. Eu não fiquei surpreso ou chateado, considerando que era a melhor amiga de Julia.

— Não fiz nada — me defendo sem nenhuma ideia do porquê, mas, uma vez que começo, não consigo parar. — Não a machuquei, Jeanine. De qualquer forma, é o contrário, então não sei exatamente o que ela te disse, mas pergunte a ela você mesma.

— Russo! Cala a boca por um segundo e me encontra lá fora — ela me corta e desliga.

Eu olho para o meu celular só para ter certeza. Sim, ela tinha terminado a ligação. Espiando por uma das janelas do celeiro, observo-a andar impaciente de um lado para o outro, imaginando por que ela está sozinha e onde Julia está. Parte de mim quer ver quanto tempo ela esperaria antes de dar um ataque, mas a outra parte está morrendo de vontade de saber sobre o que ela quer falar.

Abro a pesada porta de madeira e caminho sentindo o ar da estação que já mudava. Em breve ficará mais frio, e todos estaremos planejando as plantações do próximo ano, eu inclusive. Talvez este seja o ano em que eu realmente darei trabalho a Julia para vencer a competição. Talvez ela até me ajude a criar uma combinação tão boa quanto a dela. Um homem pode sonhar.

A cabeça de Jeanine vira de um lado para o outro enquanto procura por mim, claramente sem saber de qual direção eu viria. Quando finalmente me vê, distancia-se do carro dela e voa em minha direção, fazendo com que eu pare. Olho para além dela buscando o carro de Julia, mas não o vejo. O cabelo loiro de Jeanine sopra em seu rosto quando ela chega até mim, empurrando uma unha bem cuidada contra o meu peito.

— James — seu tom fica instantaneamente sério quando ela olha ao redor, visivelmente procurando alguém ou alguma coisa —, podemos ir a algum lugar mais privado para conversar?

Ela parece nervosa, e eu começo a ficar nervoso também.

— Claro. Siga-me. — Eu nos levo de volta ao celeiro, que está tão vazio quanto eu o havia deixado. — Quer se sentar? — pergunto, sentindo-me cada vez mais inquieto a cada segundo.

— Não, estou bem. — Ela olha ao redor do celeiro antes de descobrir minhas pinturas e se dirigir até elas, com a cabeça inclinada indicando apreciação. — Elas são muito boas. Quem pintou?

— Alguém da nossa equipe — minto. A última coisa sobre o que eu queria falar agora eram minhas pinturas. Eu queria saber do que ela precisava. — O que está acontecendo?

Jeanine respira fundo, seus lábios firmemente apertados enquanto olha para mim por um tempo desconfortável.

— O pai de Julia a expulsou ontem — explica com uma ligeira contração.

Sinto como se o ar tivesse sido arrancado dos meus pulmões.

— Ele a expulsou? — Não posso acreditar nisso. Quero dizer, eu sabia que ele a tinha ameaçado, mas chegar às vias de fato? E por causa do quê? O que ela tinha feito? — Por que ele fez isso? Por minha causa?

— Sim — responde ela.

Pego uma banqueta solitária e a puxo para baixo de mim enquanto praticamente caio em cima dela.

— Onde ela está? — Quero correr pela porta, entrar no carro e encontrá-la. Eu só posso imaginar quanto ela está chateada; preciso estar ao seu lado, mesmo que ela ache que não precisa de mim.

— Na minha casa.

— Ela está bem? Como ela está? — pergunto antes de me sentir imensamente estúpido.

É claro que ela não está bem. Como ela poderia estar?

— Ela está chateada, James. Confusa. Brava. Triste — Jeanine explica.

Meu coração dói a cada batida. Eu quero consertar isso por ela, pela família dela e por nós.

— Ela está furiosa comigo? Por que ela não me ligou e me contou? Ela sabe que você está me contando?

Jeanine balança a cabeça rapidamente.

— Ela não sabe que eu estou contando a você. Tentei fazê-la te ligar na noite passada, mas ela não faria isso. Está fingindo que não sente nada por você para que isso tudo machuque menos.

— Sim — dou um leve sorriso —, ela é boa nisso.

Jeanine fica excessivamente na defensiva por sua melhor amiga; suas costas se endireitam conforme ela me lança um olhar.

— Boa em que exatamente? — questiona.

— Em fingir que não gosta de mim — digo com inocência.

Jeanine relaxa.

— Bem, você não está errado sobre isso.

— Eu sei.

— Olha, Julia não queria te contar, mas eu achei que você devia saber. Achei que você ia querer saber o que estava acontecendo com ela, especialmente depois do que rolou entre vocês dois.

Ela me oferece um olhar solidário, e eu me levanto da banqueta ficando em pé em frente a ela, meus contornos elevando-se sobre os seus.

— Obrigado. — Coloco minhas mãos nos ombros dela antes de puxá-la para um abraço. — Eu realmente aprecio que você me dê um toque. Eu não teria ideia; quando eventualmente descobrisse, isso acabaria comigo.

Ela se desvencilha dos meus braços e aperta meu rosto.

— Eu sei. Eu percebi isso. Agora, me faça um favor e solucione essa bagunça — diz ela antes de se afastar e me deixar sozinho com meus pensamentos.

Minha mente já estava pensando em maneiras de consertar as coisas entre Julia e o pai, mas, agora que Jeanine tinha colocado a responsabilidade diretamente sobre meus ombros, quase parecia pesado demais para suportar.

Como eu poderia reparar o dano quando fui eu quem causou isso em primeiro lugar?

Balançando minha cabeça, me vejo ficando com raiva. Eu não sou o motivo pelo qual o pai dela a expulsara. É claro, eu poderia ter sido o bode expiatório, mas realmente não tinha nada a ver comigo, e eu me recusei a ficar parado por mais tempo e levar a culpa. A disputa entre nossas famílias durou tempo suficiente, e eu, por exemplo, não queria mais participar dela. Não poderia haver uma guerra entre os dois lados se um deles não estivesse lutando.

Eu sei o que preciso fazer. Eu só não faço ideia de uma coisa: se realmente sobreviverei.

***

Considerei falar com meus pais antes de entrar em uma batalha, mas me acovardei. Ainda havia uma grande parte de mim entranhada em ficar longe dos La Bella; qualquer reação negativa do meu pai me teria feito reconsiderar. Eu precisava fazer isso enquanto ainda acreditava que era minha única opção.

Ao bater com força na porta da frente dos La Bella, que eu de alguma forma sabia que tinha sido feita à mão e trazida da Itália há mais de cem anos, prendo a respiração e espero. Talvez essa não seja a melhor ideia. Eu provavelmente deveria ter contado a Dane que estava vindo para cá. Dessa maneira, se meu corpo desaparecesse, eles ao menos saberiam por onde começar a procurar.

A porta se abre lentamente — pelo tom dramático ou por causa do peso, eu não tenho certeza. Atrás dela está o sr. La Bella. Sua expressão sempre parecia a de quem havia mordido uma uva azeda, e ela ficou ainda mais amarga ao ver meu rosto.

— O que você quer, garoto? O seu pai te mandou aqui para roubar algo?

Fico chocado em silêncio antes de encontrar minha determinação. Eu não serei mais intimidado por esse homem aterrorizante.

— Quero falar com o senhor.

Ele dá uma risada de nojo.

— Eu não falo com os Russo.

Mexe-se para fechar a porta, mas eu coloco minha mão contra ela, parando-a de imediato.

— Sr. La Bella, por favor. Quero falar sobre a Julia.

A porta se abre conforme ele sai, forçando-me a dar dois passos desajeitados para trás.

— Fique bem longe da minha filha!

— Com todo o respeito, o senhor a expulsou. Não tenho que ficar longe dela agora. — Eu sei que estava sendo radical, mas essa parece ser a única maneira de chegar até o homem, ou pelo menos de fazê-lo ver a realidade.

— Eu a expulsei para lhe ensinar uma lição — rosna ele, diminuindo o espaço entre nós.

Enfrento seus olhos duros com os meus, recusando-me a recuar, nem mesmo quando ouço a mãe de Julia em choque suspirar tão alto que quase me faz querer parar de lutar. Ela claramente não sabe o que o marido dela tinha feito com sua única filha, mas acabar com essa disputa importava muito para eu parar agora.

— Que lição é essa, exatamente? Que você não se importa com ela ou com o que ela fez por sua vinícola? Ela é maravilhosa. E as combinações que ela cria e a paixão que ela tem pela ciência por trás delas? Ela é tão incrível, e você nem vê isso. Você a tem como algo garantido, e isso eu nunca faria se tivesse a sorte de tê-la — juro enquanto a adrenalina toma conta do meu corpo, alimentando as palavras que se derramam sem que eu as possa conter. Eu lutaria por ela. Mesmo que isso significasse ir contra o homem que tinha dado vida a ela.

Eu estou tão aborrecido, que nem percebo que meus pais tinham se juntado a nós lá fora, até meu pai dizer meu nome em um esforço para fazer com que eu pare ou tente recuperar algum senso de compostura.

Eu estava gritando?, eu me perguntei.

Ignorando seus pedidos, continuo dirigindo-me apenas ao sr. La Bella:

— Só estou me perguntando que lição ela deveria estar aprendendo agora, enquanto está chorando no apartamento de sua melhor amiga porque acha que o pai dela a odeia. Talvez o senhor estivesse tentando mostrar a ela que a família é substituível e que a sua única filha significa tão pouco que tiraria tudo dela no instante em que lhe desobedecesse. Ou que tudo o que realmente importa é seguir regras de décadas atrás que não fazem sentido e nem se aplicam mais. O senhor a está punindo, e eu não acho que saiba o porquê. — Agora eu estou definitivamente gritando.

— James! Isso é o suficiente. — A voz do meu pai encontra meus ouvidos e eu viro para encará-lo.

É a primeira vez que vejo meus pais e os de Julia próximos sem insultos verbais e agressões sendo lançados de um lado para o outro.

— Ele está certo — uma voz suave fala.

Todos os olhos se voltam para a sra. La Bella. Ela coloca as mãos nos quadris, o corpo ainda a uma boa distância do marido.

— James está certo. Essa disputa estava destinada a eventualmente explodir em nossa cara. Eu vi o jeito que o seu filho olha para a minha filha. Ele fez isso a vida inteira. Era só uma questão de tempo antes que tudo desmoronasse ao nosso redor.

— Eu concordo — opina minha mãe.

E as duas mulheres se voltam uma para a outra sem mais palavras, em um tipo de gesto de solidariedade que eu jurei que só elas podiam entender. Nós três, homens, assistimos enquanto elas se juntam em um abraço, como se tivessem sido amigas ao longo da vida, em vez de inimigas forçadas, perguntando-nos o que acabara de acontecer e como no mundo as mulheres podem falar tanto sobre si mesmas uma à outra sem usar palavra alguma.

O sr. La Bella emite um som rouco como um animal ferido antes de falar:

— Então, vamos todos fingir que estamos bem com isso? Como se o fato de a minha filha e o filho de vocês ficarem juntos não fosse contra tudo o que as nossas famílias defendem e representam? Nossos bisavós provavelmente estão se revirando em suas sepulturas agora, indignados com tudo o que nós deixamos acontecer.

— Eles provavelmente estão — meu pai concorda antes de acrescentar —, mas isso não significa que nós também devemos.

— O que você está dizendo, Russo? — O sr. La Bella pergunta enfaticamente ao meu pai.

Eu me sinto um pouco mais confiante, perguntando-me a mesma coisa.

— Estou dizendo que todos que vieram antes de nós talvez estivessem errados.

Meu pai dá um suspiro e eu escondo minha surpresa. Essa era a última coisa que eu esperava ouvi-lo dizer.

— É cansativo odiar você. Você não está cansado?

Agora esse era um sentimento com o qual eu podia me relacionar.

— Não — diz o sr. La Bella com confiança.

Eu me sinto murchar como um balão com um buraco feito por uma alfinetada.

Tomando um fôlego rápido que começava a ter gosto de derrota, levanto minha mão no ar para chamar a atenção de todos antes de falar:

— O ódio e a rivalidade terminam comigo. Eu não participo mais disso, e não vou criar meus filhos para isso. — Olhando rapidamente para o grupo, noto ambas as mães sorrindo, e isso me dá um pequeno empurrão de confiança para continuar. — Eu falo sério. E, se a filha de vocês me quiser, planejo ter esses futuros filhos com ela. Vocês todos podem tanto aceitar quanto viver o resto da vida sem que nós estejamos nela.

É uma jogada ousada falar tanto por mim quanto por Julia. Por tudo o que eu sei, posso estar equivocado. Julia poderia recomeçar a rivalidade com base simplesmente no que eu havia acabado de falar. Mas meus instintos me dizem o contrário. Eles me dizem que é uma luta pela qual vale a pena lutar, e que Julia me quer tanto quanto eu a quero; ela só está muito assustada, pois sente como se tivesse muito a perder.

Ninguém argumenta nem diz palavra alguma em resposta. Encaro o sr. La Bella uma última vez.

— Posso lhe pedir mais uma coisa?

— Por que parar agora? — responde ele friamente.

— Você sabe mesmo sobre a aposta? Tipo, o que realmente aconteceu entre as nossas famílias? E só estou perguntando porque sei de fato que a Julia não sabe. Ela não sabe nem a metade da história. Então, estou apostando que você também não.

— Isso é verdade? — questiona meu pai, com seu tom cheio de incredulidade. — Você realmente não sabe? Como você pode não saber?

As mãos do sr. La Bella se fecham em punhos antes que ele as relaxe.

— É claro que eu sei! Você acha que eu te odeio sem motivo? Sua família tentou roubar nossa vinha. Eles contaram mentiras e subornaram funcionários públicos para tirar a nossa terra e colocá-la no nome de vocês. Não é essa a história que lhes contaram durante todos esses anos? Não me surpreenderia se *nós* fôssemos os vilões na sua versão — bufa ele.

— Você não está errado. Isso é parte dela — eu digo com um aceno. — Mas é só parte.

— O que mais poderia haver que de fato importasse então? — pergunta rispidamente o sr. La Bella.

Meu pai e eu trocamos olhares, nossas cabeças balançando, já que ele não sabia nem a metade da história.

— Você quer ouvir a história toda ou não? — pergunta meu pai.

Nós todos seguramos nossa respiração enquanto esperamos ouvir a resposta do sr. La Bella.

ESCOLHA O CERTO

*Que os sentimentos que aparecerem
em teu coração sejam como esses
do meu peito!*

ROMEU E JULIETA DE WILLIAM SHAKESPEARE

JEANINE ENTRA PELA PORTA DA FRENTE E EU PRATICA-mente a ataco.

— Finalmente.

Eu havia ficado sozinha em casa o dia todo, então dormi mais do que tinha dormido em semanas, e pensei demais em cada momento que tive com James em toda a minha vida pelo menos três vezes antes de decidir limpar a casa dela de cima a baixo só para fazer meu cérebro se calar e parar de dar voltas.

— Caramba, Julia. — Ela olha ao redor, com olhos arregalados. — Você deveria ficar aqui mais vezes.

— Estava entediada. — Eu me atiro no sofá. — E você sabe que eu não fico bem parada. Não sei como ficar sem fazer nada.

— Posso ver isso. Venha ficar entediada aqui quando quiser. Parece ótimo.

— Então... Parece que meu pai não te demitiu, já que você esteve fora o dia todo... — eu praticamente choramingo.

Ela larga a bolsa e as chaves em cima do balcão da cozinha antes de também subir nele, colocando os sapatos sujos sobre a superfície que eu tinha acabado de esfregar até que brilhasse. Finjo não me importar com o fato de ela contaminar todo o meu trabalho duro.

— Não. Não fui demitida — diz com um sorriso malicioso.

Paro de pensar na superfície suja e me concentro no fato de que ela está tramando algo. O olhar no rosto dela a entrega.

— O que você fez?

Ela finge inocência.

— O que você quer dizer?

Forço o riso enquanto ela se abana com a mão.

— Jeanine, me conta o que você fez. — Eu me inclino para a frente no sofá, enfiando as pernas debaixo de mim.

— Odeio não conseguir esconder nada de você — geme ela. — Não me odeie, mas talvez eu tenha dito ao James que seu pai te expulsou — admite antes de se encolher de vergonha.

Aperto meus olhos por apenas um segundo ou dois.

— Talvez tenha dito ou disse?

— Definitivamente eu disse.

— O que ele falou?

— Ele perguntou principalmente se você estava bem. Ele estava preocupado. Foi muito fofo. Ele realmente se importa com você — responde ela como se me contasse algo que eu realmente não soubesse.

— Eu sei que se importa. — Eu sei. Ou, pelo menos, pensava que sabia. Sempre achei que entendia quanto eu estava negando meus sentimentos por ele a minha vida toda, mas eu realmente não tinha ideia até a noite em que me permiti ir para a cama com ele. A autorrealização era uma coisa engraçada quando você pensava que já era bastante autoconsciente.

Ela pula do balcão, e eu quero gritar em comemoração e ao mesmo tempo limpar o local onde ela havia estado empoleirada. Em vez disso, fico parada quando ela se aproxima de mim, tira os sapatos e se senta.

Ah, é claro, agora ela tirou os sapatos.

— Então — ela faz uma pausa enquanto se arruma para ficar confortável, fazendo meu corpo saltar sobre as almofadas —, você já mudou de ideia?

Lanço-lhe um olhar confuso.

— Sobre o quê?

— Sobre James, sua tonta — ela diz como se eu fosse a pessoa mais estúpida do planeta.

— O que sobre ele? — eu preciso que ela esclareça o que quer dizer exatamente.

— Sobre desistir dele. Afastar-se dele. Você já decidiu lutar pela coisa certa?

Coisa certa. Sua acusação dói.

— Eu gostaria que fosse assim tão fácil.

Ela suspira para mim, sua decepção aparente.

— É assim tão fácil. Você o escolhe em vez de escolher seu pai sem cérebro. Você escolhe o cara que ficaria do seu lado em vez daquele que te jogou na sarjeta. Você faz a escolha, Julia. E você escolhe James da mesma maneira que ele obviamente escolheu você.

Para ser honesta, esse era um dos assuntos em que eu tinha pensado o dia todo. Estava tentando descobrir como manter a vinícola da família e também estar com James. Isso era mesmo possível? Se eu desse ao meu pai um ultimato, ele realmente me deserdaria? E, se me deserdasse, a família de James me aceitaria, ou nós dois seríamos condenados ao ostracismo por aqueles que amamos porque queríamos ficar juntos? Até onde iriam as nossas famílias para punir nós dois por termos sentimentos um pelo outro?

— Eu não sei como escolher ele. Pelo menos ainda não.

Um sorrisinho faz com que seus lábios se curvem quando ela pergunta:

— Mas você quer?

Meu coração acelera quando eu finalmente digo as palavras em voz alta pela primeira vez:

— Eu quero.

Três fortes batidas na porta da frente nos fazem pular antes que meu olhar fique colado no dela.

— Quem é? — sussurrei alto.

Jeanine encolhe os ombros.

— Como eu saberia? — ela sussurra alto em resposta e se mexe para levantar do sofá.

Tento impedi-la pegando em seus braços, mas a deixo escapar quando ela se afasta rápido do meu alcance. E se fosse o meu pai? Ou minha mãe? Nenhum dos dois tinha me ligado durante todo o dia para verificar como eu estava, e me dar conta disso faz meu coração doer. Eu nunca tinha me sentido mais sozinha e abandonada do que hoje.

— Não atenda! — eu exijo, mas não tenho ideia do porquê.

— Por que não, esquisita? É a minha casa. — Ela balança a cabeça e abre a porta da frente com uma risada. — Bem, bem, bem... Falando no diabo...

Soube instantaneamente que James tinha vindo. Jeanine abre a porta, permitindo que ele entre.

— Por mais que eu queira ficar aqui e testemunhar isso, vou dar a vocês dois um pouco de privacidade — diz antes de entrar em seu quarto e fechar a porta com um som alto o suficiente para nós dois ouvirmos.

Olhando para as minhas calças de ioga e minha camiseta enorme, desejo ter me vestido um pouco melhor. Eu não estou nem usando sutiã — não que eu ache que James se importa com esse fato em particular. Ao tocar o coque bagunçado no topo da minha cabeça, puxo alguns fios soltos para que eles emoldurem o meu rosto, fazendo com que pareça mais um penteado bonitinho, intencional, em vez de um prático para limpeza doméstica.

— Para de se preocupar. Você está perfeita — diz James, afastando minha mão do meu cabelo.

Ergo minha cabeça para olhar para ele. Quero dizer, realmente olhar para ele. Seus olhos azuis parecem esperançosos em vez de tristes, e isso me surpreende. Eu achava que James estaria se sentindo tão desamparado quanto eu, mas ele obviamente não está, e por qualquer razão isso me irrita.

— O que você está fazendo aqui? — Eu não desejo falar com ele de forma brusca, mas definitivamente sai dessa maneira.

Seu corpo reage como se eu tivesse batido nele fisicamente, e eu tenho consciência de que devo pedir desculpa, mas não peço.

— Vim para te levar para casa.

— Me levar para casa? Está louco? Não posso voltar para lá.

— Você pode — diz ele calmamente.

— Não posso.

— Você pode.

— James, acabei de dizer: não posso. Eu sei que você sabe que meu pai me expulsou. Então, que jogo você está jogando?

— Você pode parar de discutir e me escutar uma vez na vida? — Sua voz aumenta e sua aparência bacana desaparece.

Ele está irritado e é por minha causa. Mas eu também estou irritada e é por causa dele. Então, estamos quites.

— Você acha que gritar comigo fará com que eu te ouça?

— Acho que gritar é a única forma de fazer com que você fique quieta por dez segundos — ele rebate e eu fecho minha boca em resposta. — Está vendo?

— Por que você está aqui?

— Eu já te disse. Vim te pegar. Vim levá-la para casa.

Por que ele está fazendo isso?

— Não posso ir com você, James. Não estou pronta para encará--los. Preciso de mais tempo para imaginar um plano.

Ele se coloca ao meu lado no sofá. Sua mão alcança a minha coxa, seu polegar desenha círculos preguiçosos nela.

— Julia, quero estar com você. E não só por uma semana, um mês ou um ano. Estou nessa com você por um longo tempo. Tipo, para sempre, se formos tão bom juntos como casal quanto eu acho que seremos. Com isso dito, estou aqui para segurar a sua mão. Para ficar ao seu lado e forçar seu pai a ouvir a razão ou ajudá-la a se afastar dele e decidir o seu próximo passo. É inteiramente por sua conta, mas, o que quer que decida, vou agir com você.

— Você faria tudo isso por mim?

Meus olhos começam a lacrimejar, e James aperta sua testa contra a minha.

— Faria qualquer coisa por você — suspira ele, e eu sei que está falando sério.

— Meu pai provavelmente vai atirar em nós dois na hora — digo tentando ser engraçada, mas até eu não tenha certeza do quanto essa declaração é falsa.

— Ele não vai — James tenta me tranquilizar.

Ele soa tão convincente, tão seguro de si, mas eu não posso acreditar nisso.

— Como você sabe disso? — pergunto.

James recua, sua mão agora na minha bochecha enquanto seus olhos azuis me atravessam. Ele se move lentamente para a frente, seus lábios apertados contra os meus, e eu não só correspondo ao seu beijo como mergulho de cabeça, com tudo de mim. Sua língua roça meu lábio antes de tocar a minha, e arrepios percorrem meu corpo. Esqueço quem eu sou, quem James é e o que deveríamos ser quando nossas bocas se abrem e se fecham em uníssono, o calor entre nós crescendo como um incêndio. Quando James interrompe o beijo, deixo escapar um pequeno gemido e olho para ele, meio mortificada com o meu desejo, mas ele sorri, seu rosto completamente corado.

— Você confia em mim? — É uma pergunta importante, e ele sabe disso.

A resposta me vem sem pensar. Não é algo que eu precisasse contemplar, muito embora, se ele tivesse me perguntado há um mês, eu teria dito exatamente o oposto, convencida de que confiar nele seria algo que eu jamais poderia fazer.

— Sim — digo.

E seu rosto se ilumina como se eu tivesse prometido a ele todas as minhas futuras receitas de vinho e também as vinhas do lado sul.

AQUELA MALDITA APOSTA

*Estas alegrias violentas, tem fins
violentos, falecendo no triunfo como fogo
e pólvora, que num beijo se consomem.*

ROMEU E JULIETA DE WILLIAM SHAKESPEARE

— ENTÃO VAMOS. — EU ME LEVANTO DO SOFÁ E ESTENDO minha mão, esperando que Julia a pegue. E eu sei que ela vai pegar. Simplesmente sei.

E, quando ela faz isso, por fim, entrelaçando seus dedos aos meus, todos os pedaços do meu coração partido se juntam.

Olho para trás, notando que Jeanine espreita da porta do seu quarto, e dou-lhe uma piscada reconfortante. Ela me faz um sinal de positivo. Conduzo Julia para fora, descendo as escadas e indo em direção ao meu carro. Voltaremos para buscar suas coisas mais tarde. Julia não ficará mais aqui, e eu sei disso. Ela é a única que não sabe.

A viagem de volta para a casa dela segue em silêncio, muito parecida com o nosso primeiro encontro. Espero que ela me faça um milhão de perguntas, mas, quando elas não veem, fico quieto e dou-lhe espaço. Mas nunca tiro minha mão da dela. E, toda vez em que eu a olho sentada no meu banco do passageiro, ela já está me olhando com aqueles grandes olhos cor de avelã que eu tanto amo.

Nós pertencemos um ao outro. Eu sempre soube disso, mas nada tornava esse fato mais sólido do que a ver sentada ao meu lado no carro. Ela também não pode esconder o jeito como se sente sobre mim. Não mais. Nem mesmo se tentasse.

Quando chegamos às nossas propriedades e manobro o carro para o lado dela em lugar do meu, sua respiração acelera.

— O que você está fazendo? — ela pergunta nervosa, enquanto tenta arrancar sua mão do meu alcance, mas eu apenas a agarro com mais força.

— Fique tranquila. Está tudo bem — digo antes de soltá-la para que nós dois possamos sair do carro.

Pulo para fora o mais rápido que posso e caminho em direção ao lado dela do carro, mas ela já tinha saído. Eu a prendo lá, pressionando seu corpo contra o metal frio enquanto estou na frente dela, bloqueando seu caminho.

Minhas mãos serpenteiam pelas curvas da sua cintura antes de pousar em seus quadris e segurar firme. Ela abre a boca para dizer algo e eu lhe tiro as palavras; meus lábios apertam os seus enquanto minha língua se move para dentro, fazendo-a gemer. Seu corpo relaxa e se contrai simultaneamente quando seus quadris começam a se mover de forma suave contra mim. Eu não acho que ela tenha percebido que está fazendo isso, mas noto todas as maneiras como o corpo dela reage ao meu toque.

Cortando o beijo, coloco sua mão na minha mais uma vez em uma demonstração de solidariedade. Nós estamos entrando na casa dos La Bella da mesma maneira que sairemos dela: juntos.

— Você não acha que isso pode tornar tudo pior? — Ela balança a cabeça em direção às nossas mãos enquanto seus olhos nervosamente começam a se encher de lágrimas.

Paro de andar para enxugá-las antes de levantar sua cabeça, tocando em seu queixo.

— Nunca faria nada para machucá-la. Agora, não desista — digo enquanto lhe dou um aperto reconfortante. Faço um movimento para abrir a porta da frente da casa dela sem bater. — Droga, essa coisa é pesada.

Seus lábios se curvam para cima, mas não formam um sorriso antes de sua expressão inteira se transformar em uma mistura de confusão, choque e surpresa.

— O que... — Ela tropeça em suas palavras enquanto seus olhos se fixam na mesa da cozinha e em nossos pais e mães sentados ao redor.

Em vez de matarem uns aos outros ou de gritarem como de costume, estão rindo e bebendo nossos respectivos vinhos.

Era quase como se fossem velhos amigos — se velhos amigos se ameaçassem diariamente e proibissem seus filhos de serem amigos.

— O que está acontecendo? — ela sussurra para mim. — Por que eles não estão voando um no pescoço do outro?

— Você vai ver. — Beijo a lateral da cabeça dela na frente de todos, porque eu quero que todos eles, inclusive Julia, saibam quão sério é meu compromisso com ela e com nós dois.

— Julia, sente-se — seu pai a instrui, mas seu tom é o mais suave do que eu já tinha ouvido antes.

Ela olha em volta da mesa antes de se sentar com relutância na cadeira que eu tinha puxado para ela. Faço um movimento para me sentar ao lado dela e pego sua mão debaixo da mesa.

Sua mãe se inclina na direção dela e sussurra alto o suficiente para eu ouvir:

— Eu não sabia que ele tinha te expulsado, querida. Eu não tinha ideia até saber pelo James.

— Saber pelo James? — Julia olha para mim antes de balançar a cabeça como se não tivesse ideia do que poderia ter acontecido nas últimas vinte e quatro horas para abalar nosso mundo inteiro. — Olá, sr. e sra. Russo. É... hã... — hesita ela. — É bom vê-los em nossa casa... acho...

Meus pais riem e a cumprimentam antes de dar mais um gole no último vinho premiado dela.

— Isso é muito bom, querida. Você é muito talentosa — minha mãe elogia sua última criação.

— Muito obrigada. Então, o que está todo mundo fazendo aqui? — pergunta ela, ainda nervosa e completamente agitada.

— Estávamos esperando você — responde sua mãe com um sorriso antes de servir para ela e para mim uma taça de vinho.

— Por que eu? Para quê? — Julia olha nervosamente ao redor. — Isso é uma intervenção ou algo assim? Vocês estão me mandando embora?

A mesa explode em gargalhadas.

— Estávamos esperando você para que nós todos pudéssemos ouvir a história ao mesmo tempo — o pai dela anuncia em meio ao caos.

— Que história?

Eu a olho nos olhos antes de responder:

— Sobre nossos bisavós e essa aposta estúpida.

Seus olhos se arregalam e eu a vejo engolir em seco.

— Eu sempre quis ouvir isso. — Ela se endireita, sua atenção focada em mim.

— Estamos prontos? — pergunto, principalmente esperando a aprovação do pai de Julia para começar.

Ele toma um grande gole do meu vinho de segundo lugar e acena com a cabeça, dando-me o sinal verde.

Não tenho certeza de por onde começar, então começo do início.

— O.k. Bem, como vocês podem ou não saber, nossos bisavós realmente gostavam de jogar um com o outro e com os outros moradores da cidade. Além de se meter em encrencas no bar local, não havia muito que fazer naquela época, então era isso o que eles costumavam fazer. Nossos bisavós tinham sido melhores amigos desde a infância, sabiam?

Houve uma mistura de resmungos na mesa, e eu percebi que o sr. La Bella nem sabia dessa parte, então continuei:

— Eles imigraram para cá juntos, vindos da Itália. O sonho deles era comprar terras próximas uma da outra na América e começar vinícolas como as que eles tinham na Itália. Ficaram em êxtase quando encontraram essa área e conseguiram fazer seus sonhos se tornarem realidade. Eles nunca imaginaram que deixariam de ser amigos. — Olho ao redor da mesa. — Vocês sabiam dessa parte?

— Eu não — responde o sr. La Bella em um tom aparentemente chocado que me surpreende.

— Como sua família poderia deixar de lado todos os detalhes importantes? — pergunta meu pai.

— Não tenho ideia. E eu nunca questionei isso porque estava perfeitamente bem em odiar você pelas razões que me foram dadas — é tudo o que ele diz em resposta.

Eu continuo a história:

— O.k. Então eles eram melhores amigos, mas, como em qualquer boa rivalidade entre homens, havia uma mulher. — Levanto minhas sobrancelhas e Julia me oferece um tipo triste de sorriso. — Acho que eles dois se apaixonaram pela mesma garota. *Minha* bisavó.

Julia interrompe:

— Então o seu bisavô ficou com a garota e é por isso que as nossas famílias se odeiam?

Balanço minha cabeça.

— Você teria a resposta se me deixasse terminar de contar a história.

— Minha culpa — diz ela com um pouco mais de sarcasmo e um pouco menos de arrependimento.

Ela não lamenta em absoluto, mas eu a punirei por isso mais tarde, quando ninguém estiver por perto.

— Então, sim, meu bisavô ficou com a garota, e, sim, seu bisavô ficou amargurado com isso. Ele aparentemente ficou solteiro por um longo período, vivendo ao lado do seu melhor amigo e da garota que achava que deveria ter sido sua. Numa noite, durante uma de suas partidas de pôquer, meu bisavô estava reclamando da terra do lado sul.

Todos parecem inconscientemente se inclinar um pouco mais para perto de mim, e eu tenho consciência que tenho toda a atenção deles. É como se sentissem que o que tinha começado toda essa rivalidade está prestes a ser revelado.

— A terra do lado sul — como vocês bem sabem, já que agora é terra de vocês — é um pouco um pé no saco. A maneira como a terra se inclina e se curva, sem mencionar o declive acentuado para o lado... Bem, meu bisavô teve dificuldade em descobrir como administrá-la com eficiência. Ele estava realmente lutando com isso.

— Não posso imaginar tentar fazer a manutenção dela naquela época, sem toda a inovação que temos agora — diz Julia, com seus olhos arregalados enquanto ela toma um gole de sua taça de vinho.

— De qualquer forma, ele estava reclamando sobre isso, e seu bisavô disse que tiraria as terras das mãos dele. Eu acho que ele estava brincando, mas as coisas ficaram sérias rapidamente. Eles estavam sempre apostando — ou um ou o outro perdendo dinheiro uma noite e recuperando na seguinte. Meu bisavô colocou aquele lote particular de terra na mesa depois de beber demais.

O queixo de Julia cai e eu sei que ela poderia dizer o que vem a seguir, mas falo de qualquer forma:

— Ele perdeu a terra e, naquela noite, quando ele contou à minha bisavó o que tinha feito, ela insistiu que ele voltasse lá e a recuperasse. Mas o seu bisavô disse que aposta era aposta, e que ele a tinha vencido honestamente.

— Ele não estava errado — diz o sr. La Bella com um encolher de ombros, e todos os olhares recaem sobre ele. — Só estou dizendo que, se você aposta e perde, não pode pegar de volta. Não é assim que as apostas funcionam. Se você quiser ser homem e apostar coisas de homem, precisa estar disposto a se separar delas.

— Filho, por favor, continue — orienta meu pai.

— Nas semanas seguintes, meu bisavô continuou tentando fazer com que o seu apostasse a terra de novo, então ele teria uma chance de ganhá-la de volta, mas o seu se recusou a apostá-la. Aparentemente, ele já tinha ido ao fórum fazer o registro das nova terra por escrito, então ela era legalmente dele. Meu bisavô acabou recuando, mas a relação deles nunca mais foi a mesma depois disso. Creio que isso poderia ter sido reparado em algum momento, se não fosse pelo fato de... — começo a explicar quando Julia me interrompe.

— Espere. As vinhas do lado sul eram originalmente suas? — ela soa perplexa e um pouco triste, como se eu tivesse tirado um sonho do seu alcance ou o modificado de alguma maneira.

— Elas eram. Mas ninguém sabia o que essas vinhas produziriam na época.

— Se eles não sabiam, então por que o seu bisavô as queria tanto de volta? Por que estava tão furioso por perdê-las?

— Eu acho que é porque minha bisavó pediu a ele que o fizesse. Ela estava realmente decepcionada e brava quando descobriu o que ele tinha feito. É como se ela soubesse que isso causaria uma ruptura ainda maior entre eles, e ela já se sentia culpada o suficiente por ter se colocado no meio da amizade de toda uma vida. Ela sempre aconselhou meu bisavô a não apostar carros, casas ou terras. Insistia que isso era pessoal demais e que as pessoas ficavam com muita raiva, e não podiam perdoar esse tipo de perda.

Julia concorda, e então dou o golpe final.

— Assim que as vinhas do lado sul começaram a produzir suas uvas únicas, isso azedou o pouco do relacionamento que havia sobrado entre eles, até se tornar nada.

— Esse é o final? — pergunta Julia.

Olho ao redor da mesa, antes de terminar minha própria taça de vinho.

— E sobre as partes que me disseram, conforme eu ia crescendo? Você nem mencionou essas — pergunta o sr. La Bella.

Meu pai toma a palavra e eu fico agradecido.

— Depois da aposta, como James mencionou, meu avô continuou tentando recuperar a terra. Ele fez mais do que tentar jogar por elas de novo no pôquer. Ele pediu ao seu avô para dividi-la ao meio. Então, ele se ofereceu para comprá-la de volta pelo dobro do que ela valia e, depois, o triplo, mas o seu avô continuou dizendo que não. Eu acho que em parte era para torturá-lo. Tenho certeza de que o seu avô poderia ter se importado menos com as vinhas, especialmente porque ele nem sabia o que elas viriam a produzir naquele momento.

O sr. La Bella fica lá, absorvendo tudo, com a cabeça balançando para um lado e para o outro, descrente. Aperto a mão de Julia debaixo da mesa e ela aperta a minha de volta. O gesto me faz sorrir, enquanto meu pai conclui o resto da história.

— A insistência do meu avô sobre a possibilidade de recuperar a terra apenas alimentou a teimosia do seu avô em mantê-la. Para ser honesto, creio que ele gostou de ter alguma vitória sobre o meu avô, especialmente a partir do momento em que sentiu que meu avô tinha uma vitória em cima dele — diz referindo-se à minha bisavó. — Mas, assim que a terra começou a produzir uvas que não tinham o mesmo sabor de nenhuma outra no condado, todo o inferno teve início. Meu avô foi aos tribunais e tentou lutar para que a escritura da terra fosse revertida, mas eles recusaram, dizendo que muito tempo havia se passado. Ele disse a qualquer um que o ouvisse que seu avô tinha roubado a terra dele e que ele era corrupto. Chegou a chamar a polícia, mas nada funcionou. A mágoa cresceu entre as nossas famílias porque o bisavô Russo se recusou a deixar para lá, e o bisavô La Bella não aceitou gentilmente ser chamado de ladrão e mentiroso.

— Essa é a única parte da história que eu conheço. — O sr. La Bella balança lentamente a cabeça, como se ainda estivesse incrédulo. — Você tem certeza de que isso é exato? Você não está me vendendo alguma mentira agora?

— Com que finalidade? — pergunta meu pai. — Não, realmente. Nós não estamos pedindo a terra de volta, então por que eu mentiria para você?

— Parece plausível. Você não acha, querido? — a mãe de Julia pergunta ao marido, e não me escapa que ele não tinha respondido.

— Eu vou dizer isso apenas para que fique registrado — opina minha mãe com um tom sério. — Escutei essa história pelo menos umas cem vezes desde que conheci meu marido e ela nunca foi alterada, nem em um único detalhe. E eu a ouvi tanto do seu avô antes que a passasse adiante quanto do seu pai. — Ela olha para o meu pai com um leve sorriso. — Só acho que, se fosse uma mentira, algo na história já teria mudado.

— Concordo com isso — acrescenta Julia. — Posso perguntar uma coisa?

Todos nós concentramos nossa atenção nela e esperamos.

— Podemos parar de nos odiar agora? Podemos acabar com isso? Eu realmente quero acabar com isso — implora ela, como se de alguma forma a história tivesse tornado as coisas piores em nossas famílias, em vez de melhorá-las.

Um riso sincero escapa da minha garganta.

— Eu parei com isso.

Olho profundamente em seus olhos cor de avelã e me inclino, meus lábios tocando os dela, a companhia presente que se danasse. Ela tenta se desvencilhar, mas minha mão está em seu pescoço, segurando-a com força.

Seu pai pigarreia e só então eu interrompo o beijo, ainda com um pouco de medo dele, para ser sincero.

— Quero fazer um brinde. — Ele pega sua taça vazia e a segura no ar antes que sua esposa baixe seu braço.

— Vamos encher nossas taças primeiro — sugere ela, com um sorriso e uma garrafa de vinho na mão.

A sra. La Bella se põe a trabalhar, enchendo todas as nossas seis taças. Cada membro da família Russo pega a última criação de Julia, e cada membro da família La Bella pega a minha.

Uma vez que nossas taças estão cheias, nós as seguramos no ar entre nós. A cena é algo que eu nunca pensei que testemunharia durante a minha vida, mas sempre esperei por isso. Há paz entre as famílias Russo e La Bella, e eu estou determinado a fazê-la durar.

DESCULPAS ATRASADAS

Eles lavam seus ferimentos com suas lágrimas. Minhas lágrimas devem cair quando as deles secarem.

ROMEU E JULIETA DE WILLIAM SHAKESPEARE

MEU PAI PIGARREIA UMA VEZ MAIS E EU SEGURO A RESPIRA-ção em expectativa, minha taça de vinho na minha frente com todas as outras. E se ele não acreditar na história e quiser continuar essa rixa inútil? Meu pai nunca tinha sido do tipo que perdoava.

— Primeiro, quero agradecer a vocês por compartilharem a história. Eu nunca a tinha ouvido antes e me sinto um idiota por só conhecê-la agora, depois de todo esse tempo. Senti raiva por tantos anos...

Meu pai realmente parece vulnerável, e eu percebo que nunca o tinha visto assim em toda a minha vida. Ele sempre tinha sido o meu pai, essa montanha de homem que raramente mostrava qualquer emoção e era durão feito uma rocha. Ele parece tudo, menos durão neste momento. É mortificante e inquietante ver o lado humano dos pais.

— Quero me desculpar com minha filha e seu filho. — Ele se retrai um pouco antes de continuar, e eu sei que engolir o orgulho não é algo natural para ele. — Eu via que você sentia algo por ela. Sempre soube. E sabia que ela também sentia algo por você — confessa.

Sinto minhas bochechas esquentarem de vergonha. Isso é verdade, mas ser colocada na berlinda daquele jeito na frente de todo mundo é um pouco desconfortável.

— É por isso que eu me comportei como me comportei quanto a vocês dois. Nunca me ocorreu que eu não soubesse o que realmente tinha acontecido entre nossas duas famílias. Eu sempre achei que sabia o suficiente.

Eu me mexo para dizer algo, mas meu pai me interrompe, seus olhos cinzentos encontrando os meus.

— Deixe-me terminar, Julia, por favor, ou nunca vou pôr isso para fora.

Eu não posso argumentar com seu raciocínio, então fico quieta e o deixo continuar.

— Eu não vou ser perfeito, porque odiar você é algo que está arraigado no meu sangue, como este vinho que estamos bebendo. — Todos riem um pouco em resposta. — Fui criado para fazer isso a minha vida inteira. Mas James estava certo quando disse que era hora de parar, então eu prometo fazer o meu melhor.

A parte sobre James desperta meu interesse e me pergunto exatamente o que ele quer dizer. Eu farei questão de perguntar a ele sobre isso mais tarde.

— Então, eu gostaria de fazer um brinde. Aos novos começos. E aos nossos filhos, que vão destruir nossas respectivas vinícolas ou torná-las melhores do que jamais fizemos.

Franzo um pouco a testa até que todos gritam "Saúde!" em uníssono e nossas seis taças de vinho se batem umas contra as outras.

Aperto com força a mão de James e, quando ele devolve o aperto com tamanha força que realmente dói, fico grata pela dor. Isso significa que eu estou acordada e que essa cena louca se desenrolando na minha frente é real, e não um sonho.

Moléculas devem ter explodido ao nosso redor se quebrando em um bilhão de pedaços invisíveis, deixando apenas a luz em seu rastro enquanto o ódio de décadas morria naquele instante. É a única explicação para o modo como o ar tinha mudado instantaneamente. Respiro fundo, questionando se eu já havia respirado com tanta facilidade em toda a minha vida.

— Eu me sinto diferente — digo num sussurro, mas todos me ouvem, então deve ter sido mais alto do que eu percebera.

— De um jeito bom? — pergunta James, seus olhos focados exclusivamente nos meus.

— Mais leve. Mais solta. Mais livre? — respondo como um questionamento, perguntando-me se só eu estou reagindo dessa maneira à nossa recente trégua.

James sorri, um sorriso que me faz querer apertar minha boca contra a dele, mas me contenho.

— Eu me sinto da mesma forma. Sinto-me aliviado, e nunca soube que não tinha me sentido assim. Isso faz algum sentido?

— Completamente — tranquilizo-o, percebendo que não quero que ele se sinta sozinho ou isolado em seus sentimentos. O modo como ele se sente é importante para mim.

— É uma maravilha que as videiras tenham produzido alguma uva mesmo com toda a energia negativa que carregávamos. — É a mãe de James quem diz isso, e o sentimento me atinge no peito com toda a sua retidão.

— Talvez agora elas fiquem ainda melhores — digo com um sorriso enquanto um mundo de possibilidades parece ter acabado de se abrir e está brilhando para mim.

Agora que James e eu podemos ficar juntos, eu não consigo parar de pensar em todas as coisas que poderemos fazer e tentar. Sei que estou me adiantando, mas não me importo. Eu pensarei nos detalhes mais tarde. Talvez enquanto James estiver dentro de mim.

Ele não seria capaz de discutir, penso comigo mesma quando deixo escapar uma risadinha.

— Do que você está rindo? — James pergunta, e eu sinto minhas bochechas esquentarem.

Sei que estou vermelha.

— Nada. Te falo mais tarde — minto porque eu não tenho absolutamente nenhuma intenção de contar a James meu segredinho safado.

A mãe de James boceja, o que me obriga a seguir o mesmo caminho e, antes que eu perceba, todos nós estamos fazendo isso, nossas mãos colocadas sobre nossa boca enquanto rimos, e meus ouvidos estalam.

— Acho que devíamos encerrar a noite. Eu não sei sobre o resto de vocês, mas perdoar todos é um trabalho árduo. Estou exausto — diz meu pai com um sorriso genuíno enquanto se encaminha para o sr. Russo, e eles apertam as mãos.

É a primeira vez que os vejo fazer isso.

Eu sorrio para mim mesma. A noite tinha sido preenchida com tantas primeiras vezes... Parece uma espécie de renascimento. Isso representa o começo de tudo que estava por vir, e eu estou simultaneamente empolgada e vencida. Passar por esse tipo de agitação emocional, mesmo sendo do melhor tipo, desgasta. Eu sinto como se pudesse me jogar no meu colchão e dormir por uma semana.

— Quer que eu leve você para pegar seu carro e suas coisas na casa da Jeanine? — James pergunta com a mão no bolso.

Olho em volta para os meus pais, que estão nos observando atentamente, antes de recusar.

— Não esta noite, mas obrigada. Eu quero falar com meus pais um pouco mais.

— O.k. Que noite, não é? — diz James antes de me dar um beijo de leve na bochecha. — Me manda mensagem mais tarde?

— Não tenho seu número — eu o provoco, mas isso o faz perder o passo tão logo ele começa a sair. James olha de volta para mim e eu diz: — Brincadeira.

— Me manda mensagem ou eu vou punir você mais tarde — ele sussurra no meu ouvido.

Eu o afasto com um tapa, meus olhos se apertando com todas as palavras que eu quero dizer, mas não posso. Pelo menos não na frente dos meus pais.

— Boa noite, sr. e sra. La Bella — grita ele da porta, enquanto desaparece indo atrás dos pais.

— Noite, James — eles respondem, a voz do meu pai menos entusiasmada do que a da minha mãe.

Eu me viro para encarar os dois.

— Você não vai ser cruel de novo, vai? — dirijo a pergunta para o meu pai.

— Eu vou tentar o meu melhor, mas isso é um hábito difícil de romper.

Eu sei que ele está falando do fato de eu e James estarmos juntos. Mas isso é algo pelo qual eu estou disposta a lutar agora. Uma vez que estar com James tinha se tornado uma opção real, algo que nós dois podíamos ter sem fazer com que nossos pais matassem uns aos outros, percebo quão intensa e profundamente eu quero a chance de estar com ele. Não haveria um desistir de nós agora. Eu me recuso a me deixar abater sem uma luta muito boa, e me preparo para isso, supondo que está prestes a acontecer, mesmo que meu pai tenha sido cordial.

Minha mãe intervém:

— Seu pai vai se portar bem com certeza e estará em seu melhor comportamento desta noite em diante. Não é, querido?

Ele olha para a mulher com quem esteve casado por mais de trinta anos e faz uma careta de leve enquanto responde:

— Eu vou tentar.

— Hã-hã. — Minha mãe balança a cabeça em reprovação. — Você vai fazer mais do que tentar.

Meu pai engole em seco e eu observo o nó em sua garganta se mover para cima e para baixo.

— Eu vou ser legal — solta a frase sob um suspiro.

Minha mãe dá um tapinha no braço dele como se ele fosse um bom menino.

— Você não tinha algo que queria dizer para a Julia? — ela continua a dirigir a conversa, e eu sinto como se estivesse em um episódio de *Além da imaginação*: tudo é um pouco retroativo e os papéis se inverteram.

— Eu sinto muito por ter te expulsado. Estava errado ao fazer isso. Mesmo com ou sem o que aconteceu nesta noite, eu nunca deveria ter feito isso com você. Eu estava tão bravo... Eu não conseguia ver as coisas direito. — Ele puxa os cabelos grisalhos, o sofrimento estampado em seus olhos cansados.

— Eu sei. — Começo a acrescentar que está tudo bem, mas me contenho, porque não está. Eu não quero desculpar seu comportamento.

— Acho que eu estava bravo principalmente porque sentia que isso ia acontecer. Eu tinha visto essa tempestade se formando anos atrás, e sabia que, uma vez que você cruzasse a linha, não haveria volta para nenhum de vocês. Eu tinha consciência de que não seria capaz de manter vocês dois longe um do outro, não importava o que eu fizesse. Você pode me perdoar por tentar?

Meus olhos se enchem de lágrimas com a afirmação do meu pai.

— Se você pode perdoar os Russo, pai, eu estou disposta a perdoar qualquer coisa — respondo seriamente, meu coração se sentindo tão cheio que eu sinto que pode explodir dentro do meu peito e inundar meu corpo inteiro. Mais dez segundos e eu me afogaria no mar das emoções do meu coração.

Felizmente as palavras param e eu abraço meus pais antes de sair. Dou uma olhada rápida na casa dos Russo e noto que todas as luzes ainda estão acesas. Eu me pergunto se eles estão falando mais sobre a noite, como nós tínhamos feito, ou se ainda estão celebrando.

Minhas pernas me imploram para atravessar a linha imaginária que não existia mais e bater na porta da frente pela primeira vez na minha vida, mas minha mente me impede. Estou cansada demais para mais palavras ou sentimentos nesta noite, então, em vez disso, me arrasto para o meu pequeno bangalô: uma ducha quente e a minha cama não só chamando, mas gritando meu nome.

A coitada da Jeanine tinha me mandado mensagens de texto a noite toda, ameaçando a minha vida se eu pelo menos não mandasse a ela um emoji de polegar para cima ou para baixo. Ela dizia que não conseguiria dormir até saber de alguma coisa, QUALQUER COISA — escrevera em letras maiúsculas.

Envio-lhe uma resposta rápida com um sinal de positivo para acalmar seus nervos e digo a ela que eu vou atualizá-la de tudo amanhã. Minha melhor amiga vai ficar louca quando souber o que aconteceu aqui hoje à noite. Seremos duas.

ESPALHANDO BOATOS

*Nenhuma dor poderá superar a alegria
que um só instante me dá ao lado dela.*

ROMEU E JULIETA DE WILLIAM SHAKESPEARE

MEUS PAIS E EU FICAMOS AO REDOR DA NOSSA MESA DE madeira, cada um bebericando até a última gota de vinho de nossas respectivas taças, quando checo meu telefone no mínimo pela centésima vez desde que voltamos dos La Bella. Eu me pergunto quando e *se* Julia vai me mandar uma mensagem como eu tinha pedido. Minha mãe me zoa depois da décima vez que me pega checando, e eu não tenho nada a dizer para me explicar, exceto que eu sou um homem determinado e que estou atualmente obcecado por todas as coisas referentes a Julia. Eu estou muito a fim dela.

— Ela vai te ligar — tenta me tranquilizar, mas eu não estou convencido.

— Eu pedi a ela para me mandar uma mensagem quando chegasse em casa. E se seu pai tiver mudado de ideia e pedido para ela ficar longe de mim de novo? Ele não faria isso, certo? — Olho para os meus pais, que parecem mais relaxados do que eu jamais os havia visto, seus ombros não estão mais tensos, seus rostos não estão mais vincados com linhas de preocupação.

— Ele não vai mudar de ideia — meu pai fala. — Ele não pode. Não agora que ele conhece a verdade. E eu vi o peso sair das suas costas da mesma forma que saiu das minhas. Não posso imaginar que ele queira voltar a carregá-lo. Eu, com certeza, não quero. — Ele solta um suspiro aliviado e eu fico chocado com a quantidade de estresse com a qual todos nós fomos forçados a viver sem realmente perceber seus efeitos físicos.

Quase pergunto aos meus pais se eles estão bem com a ideia de Julia e eu estarmos juntos, mas não. Suas bênçãos tornariam as coisas mais fáceis, mas eu sinceramente não dava mais a mínima. Nada nem ninguém vai me impedir de ficar com a garota. Não desta vez. Nunca mais. E eu decido que, se Julia não me enviar uma mensagem dentro dos próximos trinta minutos, vou até a casa dela e a punirei, assim como havia prometido.

Talvez seja exatamente isso que ela quer. Eu não deixarei minha garota ficar me provocando por diversão. Tão logo os pensamentos passam pela minha mente, meu celular vibra na mesa, alertando todos para o fato de que eu recebera uma mensagem de texto. Eu o pego como se fosse um incêndio que eu preciso apagar, um enorme sorriso se espalhando no meu rosto sem o meu consentimento assim que percebo o nome do remetente. É o nome que eu tinha colocado para ela no meu telefone desde que éramos adolescentes, embora eu só o tivesse visto aparecer na minha tela uma vez antes disso — Julia LBR.

Aqui está sua mensagem, mandão.

Eu rio alto quando leio a mensagem dela, e meus pais olham para mim com a expressão mais idiota no rosto.

— O que foi? — Eu tento parecer durão, mas é realmente difícil soar como o fodão quando você exibe um sorriso gigante que não pode controlar.

— Vá pegar a garota — meu pai me incentiva, e ele não precisa me dizer duas vezes.

Saio voando pela porta da frente e corro para a casa de Julia sem ser convidado, mas tenho a sensação de que ela não ficaria muito chateada comigo por aparecer sem ser anunciado.

Esperar depois de bater na porta é a coisa mais difícil que já precisei fazer. No instante em que vejo sua cara de surpresa, eu a agarro, como se ela fosse o único ar de que eu preciso, e colo meus lábios nos dela, escancarando a porta no meu impulso e levando nós dois para dentro. Sua língua encontra a minha sem hesitação, conforme nosso desejo mútuo preenche o espaço entre nós. Eu pego em sua bunda, apertando-a, e ela pula para cima de mim. Quando suas pernas envolvem minha cintura, quase morro no mesmo instante.

— Isso é muito melhor do que fingir que eu te odeio — suspira ela, seus lábios ainda colados nos meus.

Eu abaixo seus pés no chão e seguro a sua nuca para mantê-la perto. A última coisa que eu quero era que ela se afaste de mim antes que eu esteja pronto.

Continuo a provocar com a minha língua antes de mergulhá-la de volta dentro de sua boca quente. Nos movemos juntos, nossos beijos tão fáceis e naturais como o sol nascendo e se pondo a cada dia. É como se tivéssemos feito isso a vida toda. Sei disso porque ela foi feita para mim.

— Gastamos muito tempo separados quando deveríamos ter estado sempre juntos.

Ela se afasta um pouco, minha mão soltando seu pescoço para deixá-la livre enquanto seus olhos se acalmam com a minha afirmação.

— Você realmente acredita nisso em relação a nós?

Ela recua até o sofá e se senta na borda enquanto meu corpo instintivamente segue o dela. Fico entre suas pernas abertas, suas coxas pressionadas contra as minhas pernas, me segurando no lugar.

— No quê? Que você nunca teve chance com alguém que não fosse eu? É claro que sim. É a verdade — eu respondo, firme em meus sentimentos. Eu falo sério. Acredito nisso. E nada teria mudado minha opinião.

— E quanto a você? — Seu sorriso é um pouco perverso quando ela brinca comigo, mas eu sei que ela precisa me ouvir dizer isso em voz alta, da mesma forma que eu preciso ouvir a mesma afirmação dela.

Não importa quão forte nós dois sejamos, a vulnerabilidade de um em relação ao outro está logo abaixo da superfície, duas minas terrestres esperando para explodir.

— Qualquer outra mulher teria um troféu de segundo lugar. Uma mera réplica porque eu não poderia ter a original. E, no fundo, eu sempre soube e odiei isso.

Sua mandíbula fica frouxa de surpresa. Parece que eu estou sempre chocando-a com minhas palavras, mas não é como se fosse a primeira vez que eu admito sentir algo por ela.

— Sabe, você podia ter dito todas essas coisas para mim anos atrás e nos feito economizar um pouco de tempo — responde ela como uma sabichona, suas mãos esfregando a lateral das minhas pernas enquanto ela me fita, piscando rápido os olhos.

— Hã, eu tentei fazer isso, lembra? Aquela vez no vinhedo, quando eu te contei que queria estar com você e você partiu meu coração em um milhão de pedaços — respondo, buscando uma das mais dolorosas lembranças da minha vida de jovem adulto.

Suas sobrancelhas se unem e ela parece distraída.

— Do que você está falando?

Dou um passo para trás não apenas para romper nosso contato físico, mas também para olhá-la a certa distância, em vez de tão perto.

— Hum, daquela noite na vinha. Na época do colégio? — digo como se fosse uma pergunta, porque sua expressão confusa não suaviza.

— Não tenho ideia do que você está falando.

— Você está brincando, certo? Zoando comigo? — Dou um sorriso torto, mas ela balança a cabeça.

— Não, James. Eu honestamente não sei do que você está falando. Qual noite no vinhedo? Isso foi antes ou depois de você espalhar o boato?

— Você realmente não se lembra? — pergunto quando as peças começam a se encaixar.

Ela não tinha me tratado de forma diferente depois daquela noite, como eu pensava. Ela nem se lembrava disso! Meu ego estava tão abalado que eu tinha interpretado tudo que ela não disse de maneira que ela nunca teve intenção de dizer.

— Conta para mim: o que aconteceu?

— Foi a noite em que você saiu para beber todo o vinho. Você estava sozinha, exceto pelas quatro garrafas ao seu lado — começo a explicar, quando sua expressão muda, suas sobrancelhas se levantam e ela cobre a boca com a mão.

— Você estava lá. Agora eu me lembro que você apareceu, e eu estava tão furiosa por você estar lá! Mas não me lembro de nada depois disso.

Eu cruzo a divisão que eu tinha criado, trazendo meu corpo de volta para junto do dela, e relaxo no segundo em que suas mãos encontram minhas laterais novamente e começam a se mover para cima e para baixo.

— Eu abri meu coração naquela noite. Disse que eu tinha sentimentos por você e que queria estar contigo. Você me falou que eu não sabia o que eram sentimentos e que nunca ia querer estar comigo. Eu até perguntei de novo só para ter certeza. Você foi bastante inflexível sobre a sua repulsa por mim.

— James — parece que alguém tinha acabado de lhe dar um soco no coração —, eu acordei no vinhedo na manhã seguinte e mal me lembro de ter ido até lá fora, em primeiro lugar. As garrafas de vinho vazias estavam espalhadas aos meus pés e eu vomitei no instante em que tentei me levantar. Aquela noite sempre foi um completo borrão para mim.

— Esse tempo todo eu pensei que você se lembrava.

— Foi por isso que você espalhou o boato?

Eu balanço a cabeça, porque esse não tinha sido o motivo.

— Você partiu meu coração naquela noite, mas o boato foi um acidente — começo a explicar.

Ela zomba de mim:

— Como o que você disse poderia ter sido um acidente? Você contou para todo mundo que eu tinha dormido com você!

— Porque eu estava apaixonado por você, Julia. Por que você acha que eu comecei com isso? — Curar velhas feridas era catártico, mesmo que doesse revivê-las no momento.

Suas mãos vão das laterais das minhas pernas para a minha cintura e eu tento me concentrar nas suas palavras, e não no toque da ponta dos seus dedos enviando sensações por todo o meu corpo.

— Eu pensei que você estivesse tentando arruinar a minha vida. Como se me odiar não fosse o suficiente e você precisasse levar isso um passo adiante.

— Eu nunca odiei você.

— Sei disso agora, mas não sabia na época. — Ela me dá um tapinha antes de fingir um beicinho.

O boato realmente não tinha sido intencional da minha parte, embora eu estivesse tão amargurado com a rejeição dela que provavelmente parecesse dessa maneira se visto da sua perspectiva — pelo menos teria sido assim se ela se lembrasse da rejeição, em primeiro lugar.

— Ouvi por acaso alguns dos meus colegas de basquete falando sobre você no vestiário uma tarde depois do treino, e eu perdi a cabeça — começo a contar a história para ela, enquanto minha mente volta no tempo.

— *Ei, Russo? O que você acha que a Julia diria se eu a chamasse para sair?* — *meu colega de time Todd Lestare grita.*

Jogo uma toalha em volta do meu ombro enquanto abro meu armário.

— *Não tenho ideia. Por que você quer fazer isso? Ela não é o seu tipo* — *digo, esperando que ele se ofenda e desista.*

Todd geralmente gostava de garotas que fossem um pouco menos difíceis, e pensar nele em qualquer lugar perto de Julia fazia minha pele se arrepiar.

— *Talvez esteja na hora de diversificar* — *disse ele.*

Minhas mãos se fecham em punhos ao meu lado.

— *Está ficando sem opção?* — *praticamente rosno.*

Ele ri como se essa fosse a pergunta mais absurda do planeta.

— *Aham, Russo. Eu não fico sem opção. Está errado se eu quero ser aquele que vai tirar a virgindade da princesa La Bella? Pense nisso como uma fusão* — *disse com um sorriso malicioso.*

Foi preciso toda a minha determinação para não socar seu maxilar quando outro colega de time bateu na mão dele num high five. *Eu quis fazer um* high five *na cara dele. Com uma cadeira.*

— Bem, eu odeio ser aquele a te dar a notícia, mas você está muito atrasado para isso. — As palavras saíram da minha boca antes que eu pudesse detê-las.

Dane apareceu de repente ao meu lado e sussurrou com severidade:

— O que você está fazendo?

— Só segue o fluxo. — Dou a ele uma olhada dura e ele balança a cabeça.

— Sem chance! Com quem ela saiu?

Eu encolho os ombros não querendo dizer as palavras em voz alta, já que elas são uma mentira descarada, mas sabendo que eu faria isso se fosse necessário para mantê-lo longe dela.

Felizmente, não tive que responder.

Dane se aproximou, respondendo por mim:

— Vamos, Lestare. Um cavalheiro nunca fala.

— Você? Dane? — Todd olha para ele, incrédulo. — Sem chance.

— Não, eu não. — Dane lança-lhe um olhar descrente enquanto acena de leve em minha direção.

— Quem então? — Todd olha entre nós. — Russo? Meu chapa! — grita antes de levantar a mão no ar e esperar que eu bata nela.

Fui obrigado a fazer isso a contragosto, mas esse único gesto confirmou seu palpite e solidificou a mentira. Podia ser uma coisa de merda a fazer, mas eu estava convencido de que estava fazendo a coisa certa por ela. Todd Lestare teria tomado dela algo precioso e que não poderia devolver, e teria se assegurado de que todos na cidade soubessem que tinha acontecido. Ele a teria humilhado. E eu não tinha ideia de que estava prestes a fazer a mesma coisa.

— Mas espere! Eu achei que vocês dois se odiassem! — pergunta outro jogador.

— Sim, bem, às vezes o ódio torna isso melhor — digo, acrescentando à mentira.

— Se importa se eu a chamar para sair? Levá-la para dar uma volta? — Todd pergunta como se Julia fosse um carro que todos tinham o direito de dirigir.

— Pra cacete — solto em resposta antes de circundar todos os meus companheiros de equipe, que de repente são todo ouvidos. — É melhor que nenhum de vocês, idiotas, toque nela ou mesmo pense em chamá-la para sair.

Vocês estão me ouvindo? Ela é proibida para vocês. Se eu ouvir alguma coisa contrária a isso, teremos um grande problema.

— Nunca reconheci você como o tipo ciumento, Russo — Todd acrescenta antes de colocar a mão no meu ombro.

Eu a retiro.

— Fique longe dela.

Seus olhos estão arregalados.

— Todd? Caramba! Não me admira que você odiou eu ter concordado em jantar com ele!

— Eu teria odiado de qualquer maneira, mas tornava pior o fato de que, de todas as pessoas, fosse ele. — Engoli a raiva que subia pela minha garganta quando me lembrei de que tinha conseguido a garota.

Eu consegui a garota.

— Não posso acreditar que foi assim que começou. Eu não tinha ideia e, claro, supus o pior — diz ela com um encolher de ombros. — Você sabe... Pensei que você fosse um idiota mentiroso que queria me arruinar diante de todos.

Eu me sinto um pouco estúpido e imaturo, mas também sei que faria tudo de novo se necessário.

— Foi a morte para mim o dia em que você me disse para eu me retratar. Eu sabia que não podia fazer isso. Não podia suportar o pensamento de alguém do meu time tocando em você, muito menos tomando a única coisa que eu pensava que nunca conseguiria ter.

— Surpresa, Russo! Você já teve. — Ela ri e acena com um braço no ar como uma apresentadora de programa de jogos. — E, só para seu registro, eu nunca tive interesse por Todd Lestare.

Eu engulo em seco.

— Boa. Porque imaginar você com ele me faz querer esfaquear meus próprios olhos; não quero mais ver isso na minha cabeça.

— Um pouco dramático, não acha? — ela pergunta com uma risada suave, mas eu posso dizer que ela está gostando do meu lado ciumento.

Eu não estou orgulhoso disso, mas às vezes os sentimentos não permaneciam sob nosso controle. E, quando se tratava de Julia, minha determinação era forte.

— Não quando se trata de você. Não quando se trata de nós.

— Há um "nós" agora? Isso é oficial?

— Sempre houve um "nós", Julia. Você só era teimosa ou medrosa demais para admitir isso. Diga-me que você sempre me quis.

Ela fica quieta puramente para me torturar, tenho certeza.

— Julia — insisto, meu joelho se mexendo para pressionar seu abdômen.

O corpo dela se contorce em resposta.

— Bem. Você sabe que sim.

— Mas eu nunca ouvi você dizer isso. — Meu joelho se move em círculos pequenos e torturantes, fazendo com que sua boca se abra e sua língua saia de leve.

— Estou dizendo isso agora. — Ela soa ofegante.

— Diga com palavras reais.

— Eu sempre quis você, James. Todos sabem disso. Todos, exceto você aparentemente.

Seus olhos vão ao encontro dos meus e lá ficam. Meu joelho para de se mover. Acho que meu coração parou de bater. Minha mente definitivamente entra em curto-circuito antes de voltar a funcionar. Eu me abaixo e pego seu corpo do sofá quando ela solta um gritinho, meio chocada, meio deliciada.

— Para onde você está me levando? — pergunta com um sorriso.

— Para a cama, que é o seu lugar. — Eu facilmente me movo pela casa, sabendo exatamente para onde ir.

— Estou sendo punida? — Ela pisca para mim e eu quase paro no corredor e caio de joelhos. Eu não preciso de uma cama para o que planejo fazer com ela.

— Eu planejo te punir a noite toda. Primeiro, com a minha língua. Depois, com o meu pau. Acha que consegue lidar com isso? — Meu homem das cavernas interior tinha saído para brincar, e o sorriso no rosto dela me diz tudo o que eu preciso saber. Minha garota não só podia lidar com isso: ela mal podia esperar.

METAS DE CASAL

Não tenho medo!
O amor me dá forças.
ROMEU E JULIETA DE WILLIAM SHAKESPEARE

APRENDI NA PRIMEIRA VEZ QUE JAMES ERA UM DEUS NA cama, e isso continuou sendo verdade na segunda vez. E na terceira. E na quarta. E atualmente, enquanto ele estava sob as cobertas, entre as minhas coxas, fazendo todas as coisas que eu sempre sonhei com aquela barba e aquela língua.

Enfio minha mão em seu cabelo escuro, a luz da manhã se derramando através das cortinas enquanto eu passo as unhas nas costas dele com a outra. É demais o jeito que ele tão habilmente me chupa, me enlouquecendo, me lendo como um mapa do tesouro cuja chave lhe foi dada.

— James, por favor! — eu imploro.

Aprendi bem rápido que ele gostava quando eu implorava para parar de me chupar e entrar em mim.

— Por favor o quê? — Seu hálito está quente contra minha virilha quando atiro os lençóis para olhar para ele. Seu cabelo está arrepiado e bagunçado do movimento das minhas mãos.

— Por favor, quero você em mim. Por que você me faz implorar?

Ele lambe os lábios e limpa a barba com a mão antes de lentamente deslizar pelo meu corpo, sem romper o contato. A sensação da sua pele quente em atrito com a minha é quase suficiente para fazer outro orgasmo entrar em erupção em mim. James e eu estamos definitivamente conectados, e mais do que apenas de maneira física — qualquer um pode se conectar com alguém fisicamente.

Há algo maior e mais profundo em jogo aqui. O cordão que nos une está totalmente à mostra, mesmo que não possa ser visto. Nós dois o sentimos, puxando e apertando ao redor dos nossos corpos, como se para dar a conhecer que não haveria mais desvinculação depois disso. Eu não posso imaginar querer me desvencilhar de James novamente de qualquer maneira, então silenciosamente desejo que o laço se fortaleça. Não lutarei mais contra ele. Não haverá mais oposição deste lado.

Eu tinha oficialmente me rendido.

James lentamente se move para dentro de mim.

— Você está fazendo isso de propósito — eu digo, incapaz de recuperar o fôlego.

— Sim — é tudo o que ele diz em resposta.

Eu posso dizer que isso está exigindo dele um controle tremendo para não mergulhar em mim de uma vez, mas, quando James programa sua mente para algo, ele consegue. Exceto me vencer em competições, claro.

Ele tira antes de empurrar de volta para dentro, indo um pouco mais fundo a cada estocada, até que finalmente está todo dentro. Então ele para de se mexer por completo, toda a sua largura e comprimento me preenchendo totalmente enquanto compartilhamos o mesmo ar, nossos olhos travados um no outro. Começo a mexer os quadris, mas ele me prende com o olhar antes de me pedir para parar e, mais uma vez, me submeto sem reclamar.

Quando finalmente James começa a se mexer de novo, tenho vontade de cantar. Jamais tinha me sentido tão bem com um homem dentro de mim, e eu não tenho certeza se é porque eu me sinto demasiadamente atraída por ele ou por causa da nossa conexão. Decido que é provavelmente uma combinação de ambos os motivos e concentro minha energia na multiplicidade de sentimentos explodindo dentro do meu corpo. Cada toque da ponta dos seus dedos me enlouquece. Olhar em seus olhos me faz nadar num mar azul. Eu estou perdida nele e quero nunca ser encontrada.

— Julia. — O som de sua voz rouca me chama atenção, nossos corpos trabalhando em uníssono, indo e vindo em um tempo perfeito.

— Sim? — pergunto enquanto sua mão segura a minha bochecha.

— Diga que sou eu o cara para você. Só eu e mais ninguém, nunca mais — ele diz fechando o espaço entre nós, sua boca envolvendo a minha.

Dou a ele a minha resposta naquele beijo, minha língua mudando entre dura e suave, dócil e exigente, submissa e dominante.

Seu ritmo acelera e eu rompo o beijo para observar a maneira como o corpo dele se move — seus ombros flexionando, os músculos do braço protuberantes contra a pele. Eu não posso evitar estender a mão para agarrá-los, amando como a dureza deles responde ao meu toque. Sentindo que James está perto de gozar, inclino meus quadris para cima e vejo quando ele desaba dentro de mim. E, quando pequenas gotas de suor escorrem de sua testa, crava em mim uma última vez antes de desmoronar, com todo o peso dele me esmagando.

— James — tento dizer em seu ombro —, você está me sufocando.

— Merda. Desculpe — diz antes de sair de cima de mim e descansar a cabeça no meu estômago.

Coloco meus dedos na cabeça dele e brinco com os fios de cabelo enquanto meu coração bate como um louco dentro do peito.

— Falei sério quando te disse aquilo. Não foi só uma declaração apaixonada de merda, no calor do momento.

— Sei que falou. — Sorrio para mim mesma, amando secretamente a pitada de macho alfa que ele possuía quando se tratava de mim. Isso não deveria me excitar, mas excitava.

Ele levanta a cabeça.

— Tá bem?

— Bem o quê?

— Sou só eu daqui em diante? — Sua cabeça despenca de volta e eu deixo escapar um grito antes que possa responder.

— Sim, James. Ninguém além de você.

— Bom. Porque eu tenho planos para nós — ele fala contra minha barriga.

Eu rio, perdida no modo como a cabeça dele balança com o meu riso.

— Planos, hein? Que tipo de planos?

Ele vira para cima e me dá uma olhada.

— Vou te contar mais tarde. Quero te mostrar uma coisa primeiro.

— Eu já vi, se é isso que você está tentando fazer. — Levanto minha cabeça em direção à ereção que ele ainda está ostentando.

— Não é sobre isso que eu estou falando. — Ele beija minha bochecha e se arrasta para fora da cama. — Vamos, vista-se. Eu vou te levar para comer depois.

A promessa de comida depois de todas as calorias que tínhamos queimado foi mais que suficiente para eu concordar.

— Eu amo comer.

— Eu amo — ele começa a dizer antes de o meu corpo ficar imóvel — comer, também.

Ele termina com uma risada, e eu não tenho certeza de estar mais aliviada ou decepcionada. Realisticamente, eu sei que é muito rápido para declarações de amor, mas nossa história não era típica, então as regras gerais não parecem se aplicar a nós dois.

Saímos da minha casa de mãos dadas e, ao que parece, sem nos preocupar com nada. James não se abaixa nem se esgueira pelas videiras para evitar meu pai e sua provável morte, caso sejamos pego. Estamos ao ar livre, nosso relacionamento florescendo completamente à mostra, para todos verem. Quando damos a volta pela casa principal, paramos no meio do caminho ao ver nossos pais conversando e rindo na divisa da propriedade.

— Será que alguma vez nos acostumaremos a ver isso? — pergunto, imaginando quando aquela imagem não daria um choque no meu organismo.

— Eu certamente espero que sim — responde James. — Mas eu estaria mentindo se não dissesse a você que meu primeiro instinto foi correr e me esconder.

Eu sorrio, porque meu primeiro instinto ao vê-los foi me abaixar e recuar lentamente. Alguns hábitos seriam difíceis de romper. Eu não podia esperar até que eles fossem uma coisa do passado, algo que, quando olhássemos para trás, tivéssemos que puxar o assunto para poder lembrar.

— Acha que eles vão se aposentar mais cedo agora que estamos juntos? — James pergunta quando começamos a andar de novo em direção às nossas famílias.

Eu rio por dentro do quão confiante ele soa sobre nós. Ele me faz sentir que, muito embora tenhamos acabado de começar, não haverá fim.

— Provavelmente não. — Pego na sua mão com um pouco mais de força conforme nos aproximamos.

Os quatro se viram de uma vez para nos olhar, sorrisos em toda parte, até mesmo no rosto do meu pai.

— Bom dia, vocês dois — minha mãe diz em saudação antes de nos dar um abraço.

Há abraços por toda parte; mesmo que seja estranho como o inferno, também é incrível.

— Onde vocês estão indo? — pergunta a mãe de James.

Eu encolho os ombros, porque não tinha ideia.

— Vou mostrar a ela o celeiro. — Ele chuta a sujeira no chão e pedras minúsculas se espalham.

— Ah! — Sua mãe junta as mãos com alegria. — Ela não sabe, não é?

Meus olhos se apertam enquanto eu me questiono que tipo de mãe estaria *tão* animada com um saco de boxe.

— O que há exatamente naquele celeiro? Um ringue de boxe em tamanho real? Você tem um clube de boxe secreto no qual eu estou sendo iniciada? Quero dizer, ouvi dizer que é bom treinar, então...

— Um o quê? — A sra. Russo ri, mas seu rosto está cheio de confusão. — Boxe?

Eu tinha perguntado a James uma vez o que havia no celeiro, e ele me disse que lutava boxe lá dentro. Eu me lembro claramente daquela resposta, como a luz do dia, mesmo que ele tivesse parecido estranho quando admitiu isso para mim. Ele tinha dito que estava lutando boxe na noite do incêndio. Eu sabia que não tinha ouvido errado, mas agora eu estou questionando tudo.

De repente, fico animada.

— Espere. É um cavalo? Meu pai nunca me comprou um cavalo, embora eu pedisse um a cada Natal. Topo da minha lista a cada ano. Pedido número um. Nós temos a propriedade para isso e tudo o mais. — Eu aceno com a mão em direção ao nosso terreno. — Mas vocês veem um cavalo lá? Não. Cavalo nenhum. Papai Noel me odeia.

Meu pai cruza os braços e luta contra um sorriso de autossatisfação.

— Temos terra para cultivar uvas, não para criar cavalos. Você tem ideia do quão caro um cavalo custa e de quanto trabalho ele dá? Sempre te disse que, uma vez que você crescesse, se quisesse um, poderia conseguir por sua conta. — Ele olha para James antes de colocar uma mão forte em seu ombro. — O desejo de ter um cavalo agora cai sobre você. Boa sorte.

James lança um olhar resignado para meu pai antes de olhar para mim.

— Vamos discutir a coisa do cavalo mais tarde.

Eu bato o pé simulando uma birra.

— Então, não há cavalo no celeiro?

Todos riem entretidos e divertidos com nossas palhaçadas, e eu fecho os olhos por um segundo para mergulhar meus sentidos nos sons e sensações que são novos para mim. Até o ar exterior tinha sido alterado pelo fim da nossa guerra. Ou talvez tenha sido a nossa nova energia coletiva que mudara tudo. Fosse o que fosse, era palpável. E tão lindo.

— Eu vou mostrar a ela e depois levá-la para tomar o café da manhã. Vocês gostariam de se juntar a nós? — pergunta James educadamente.

Rezo para nossos pais dizerem "não". Não é que eu não os queria ali; mas eu só quero estar sozinha com ele.

— Não, vocês dois vão em frente. Vamos jantar na cidade esta semana — sugere o sr. Russo, e todos concordam.

Nossas duas famílias fazendo uma refeição em público seria a conversa da cidade por semanas, senão anos. Fico emocionada em pensar que a cidade finalmente terá algo positivo para dizer, em vez de evitar as nuvens escuras e pesadas que pareciam pairar sobre nós a todo momento.

Com a mão entrelaçada na de James, caminhamos no mesmo passo em direção ao celeiro. Ele abre a porta e me conduz para dentro, enquanto eu olho em volta para o espaço cheio de luz. Não há um ringue ou um saco de boxe à vista.

Confusa, viro-me para encará-lo.

— Se você não luta boxe aqui, então o que você realmente faz?

— Desculpe-me por ter mentido para você no jantar, quando você perguntou. Eu só... — Ele caminha rapidamente e eu sigo bem atrás, em direção à área mais iluminada do celeiro. Nesse momento vejo o conjunto com vários cavaletes, telas e tintas. — Não são tantas pessoas que sabem o que eu faço aqui, e eu não estava pronto para contar a você.

Há tantas pinturas — paisagens, uvas, naturezas-mortas e objetos... Tudo feito lindamente com um toque extravagante. Cada uma parece cintilar.

— Você fez tudo isso? — pergunto, admirada. Eu não tinha ideia de que James pudesse pintar.

— Sim. Elas são bobas?

Ele morde o lábio inferior, e eu quero envolvê-lo em meus braços e dizer a ele que isso seria a última coisa que elas poderiam ser. *Como ele podia questionar quão incrivelmente talentoso ele era?*

— Bobas? Elas são lindas. Deviam ser os rótulos de cada garrafa de vinho que você vende — digo antes de me inclinar, admirando a maneira como elas cintilam, o brilho chamando a atenção quando eu me afasto delas, portanto, atraindo de volta. — Elas são mágicas, James. — Viro-me para olhar para ele, minhas mãos envolvendo seu rosto. — Sério. Mágicas. E chamativas. Como você faz para elas cintilarem assim?

— É uma técnica de que sempre gostei. Eu insisti nela até que a dominei. Você realmente gosta delas?

— Sim. — Eu balanço afirmativamente a cabeça como um boneco *bobblehead* para dar ênfase. Não posso acenar com rapidez ou vigor suficiente para me fazer entender. — Elas deviam ser rótulos. Se você não reformular a marca do seu vinho todo com elas, elas definitivamente deviam estar pelo menos nas garrafas das edições limitadas. Você podia até mesmo comercializá-las como exclusividade James Russo e assinar cada uma. — Minha mente voa com todas as possibilidades.

— Acha que você poderia me ajudar com isso? Vender a ideia para os meus pais?

— É claro! E, se eles disserem que não, vamos fazê-lo nós mesmos.

Agora é minha vez de convencer James de que o que temos não está acabando. Nós começamos uma parceria que eu não tenho intenção alguma de terminar.

— Faremos o que nós mesmos?

— Vamos fazer os nossos próprios rótulos para o vinho que criarmos juntos — digo com um sorriso.

James me pega e seus braços fortes envolvem minha cintura enquanto ele me gira em círculos.

— Você quer criar um vinho comigo? Sério?

— Pensei que estávamos fazendo tudo juntos agora. Pensei que você tinha dito que era para sempre. Você estava mentindo para mim?

Inclino meu corpo para trás em um esforço para nos separar, mas não funciona. Sua pegada sobre mim só me aperta mais.

— Não. Estou feliz em saber que você está dentro.

Ele me beija com força e com uma ferocidade e possessividade que eu nunca soube que desejava. Eu me inclino, retribuindo com a mesma intensidade.

Nós nos separamos para recuperar o fôlego e diminuir a frequência cardíaca.

— E quanto ao resto dos planos que você tem para nós? Se importa de dividi-los comigo? — pergunto ainda em seus braços, sentindo-me mais encorajada.

— Não tenho certeza de você estar pronta para ouvi-los, mas eu também posso deixar que você saiba de qualquer maneira. — Ele mordisca meu nariz, beija minha testa e enfia uma mecha longa e escura do meu cabelo atrás da minha orelha. — Vamos nos casar, fundir nossas vinícolas e nos tornar uma potência que ninguém pode tocar. Já ouviu falar da *hashtag* "metas de casal"? Isso vai ser a gente nessa indústria e na vida.

— Vamos nos casar, hein? — Eu me afasto dele e começo a andar um pouco conforme meu batimento cardíaco vai acelerando novamente.

— Não tipo amanhã. Caramba, Julia. Mas, quando nos casarmos, eu estava pensando que Vinícola Russo-La Bella tem um bom apelo para isso.

Meu queixo cai quando um olhar de incredulidade cruza meu rosto.

— De jeito nenhum. Vinícola La Bella-Russo soa muito melhor — argumento antes de perceber o que tinha feito. — Quero dizer, para fins de marketing. Isso flui. Soa melhor do que o contrário, isso é tudo.

James não está mais me ouvindo. Ele tem um olhar abobado no rosto, perdido em qualquer cena que estivesse se desenrolando em sua cabeça.

— Ai, meu Deus! — grito, fingindo estar ofendida, e ele sai de qualquer devaneio em que estivesse perdido.

— O quê? — Ele cruza os braços sobre o peito como se perguntasse: *O que foi agora?*

— Você está só me usando para ter minhas vinhas do lado sul, não está?

— Você vai ter que casar comigo para descobrir.

— Nós provavelmente deveríamos começar a namorar primeiro.

— Julia La Bella, sempre me fazendo esperar desnecessariamente quando o resultado será o mesmo, não importa o que aconteça. Mas, tudo bem, nós faremos do seu jeito. — Ele finge parecer incomodado, mas eu sei que não está.

Meu queixo cai quando outro pensamento pousa no meu cérebro já sobrecarregado.

— Você está na aposta da cidade, não é?

Ele deixa escapar uma risada alta.

— Eles não vão permitir que eu aposte!

Eu rio alto, me agachando no meio.

— Você tentou?

— É claro que eu tentei! Que inferno! Até a Jeanine e o Dane tentaram entrar nisso, mas nenhum amigo ou parente próximo foi autorizado.

— Esta cidade... — Balanço a cabeça fingindo descrença, porque secretamente eu amo isso. O fato de que havia uma aposta sobre mim e James significava que eles estavam torcendo por nós, e eu gosto de saber que todos tinham estado ao nosso lado o tempo todo.

ALIMENTAR A SUA GAROTA

A despedida é uma dor tão suave que te diria "boa noite" até o amanhecer.

ROMEU E JULIETA DE WILLIAM SHAKESPEARE

O ESTÔMAGO DE JULIA RONCA E ELA TENTA COBRI-LO COM a mão, como se isso fosse impedir o som de ecoar no celeiro quase vazio.

— Hora do café da manhã? — eu pergunto.

— Obviamente. Você não sabe que precisa alimentar sua garota? — Ela bate o pé no chão.

— Agora eu sei.

Eu ainda não conseguia esquecer a cara da Julia ao ver minhas pinturas. Eu sempre as amei, mas não tinha ideia se elas eram realmente algo comercializável ou mesmo remotamente boas. A opinião de Dane nunca contou. Nem a da minha mãe porque, bem, eles dois eram parciais. Não que Julia não fosse, mas eu teria sido capaz de dizer se ela estava mentindo só de olhar em seus olhos. Eles entregavam tudo. Aquelas íris cor de avelã iam ser minhas maiores aliadas pelo resto da minha vida.

Nós nos dirigimos para a cidade e meu coração dispara com o pensamento de andar pelas ruas com ela nos meus braços. Isso não tem a ver com a história de nossas famílias, mas comigo finalmente conseguindo a garota que eu quis durante a vida inteira.

— No que você está pensando? — Julia pergunta do meu lado, sua mão repousando com firmeza na minha coxa.

Eu olho para ela antes de me concentrar na estrada.

— Em quão sortudo eu sou. E como é incrível saber que posso ser visto com você em público e que isso não vai começar a Terceira Guerra Mundial.

Ela solta um suspiro.

— Nem me fale. É como se tivéssemos uma nova vida.

Pegando sua mão, eu a trago até os meus lábios e dou um beijo antes de colocá-la de volta no meu colo.

Abrindo caminho pelas ruas movimentadas, encontro uma vaga de estacionamento bem em frente e percebo que, desde ontem à noite, minha sorte tinha mudado. Sim, eu considero uma vaga de estacionamento como boa sorte.

— Não saia — instruo quando saio do carro e caminho até ela. Abrindo sua porta, pego sua mão e a ajudo a sair.

— Quem diria que você fosse tão cavalheiro?

— Eu não sou — respondo antes de beijá-la na bochecha. Eu não consigo manter meus lábios longe dessa mulher. — Sou assim apenas para você.

— Eu não odeio isso. — Ela sorri e corre os dedos pela minha barba.

— Ei, Romeu e Julieta — grita Jeanine.

Nós dois encontramos ela e Dane esperando na entrada da lanchonete.

— O que você está fazendo aqui? — Julia parece alegremente surpresa quando corre para cumprimentar a melhor amiga com um abraço.

— James nos disse para encontrar vocês. Falou que a comida era por conta dele, e quem sou eu para recusar uma refeição grátis? — conta antes de me retribuir o abraço. — Acho que você fez bem — sussurra ela em aprovação no meu ouvido.

— Também acho isso.

— Ei, parceiro — diz Dane quando apertamos as mãos antes que ele me puxe para um abraço de urso.

— Você colocou nos nossos nomes? — pergunto.

Dane disse que sim e que a nossa mesa estava pronta.

Nós quatro entramos na lanchonete e eu jurei que o tempo tinha parado. O som dos talheres tilintando contra os pratos veio ao encontro dos meus ouvidos quando todos se viraram para nos observar. Apertei a mão de Julia um pouco mais, mas percebi que ela não precisava do conforto.

Ela não estava nem um pouco desconfortável, e provou isso quando se dirigiu à multidão fascinada:

— Estamos juntos, o.k.? Vocês todos são os primeiros a saber. Contem aos seus amigos. A rixa acabou. Certo? — Ela se vira e me pergunta.

— Sim — foi tudo que eu pude dizer em resposta, porque eu estava surpreso, orgulhoso e excitado.

Nós nos sentamos em nossa mesa enquanto aplausos e palmas irromperam ao nosso redor.

Ouvi umas poucas coisas do tipo "já não era sem tempo", "finalmente" e "ela disse que a rixa acabou?".

Deveria ter sido inquietante ter estranhos e conhecidos nos tratando como se fôssemos algum tipo de casal de celebridades, mas a verdade é que estávamos acostumados com isso. Tínhamos sido o assunto da cidade desde que nascemos, e ter todo mundo ligado em nossos negócios pessoais e profissionais era normal.

Jeanine pega o copo de água à sua frente e toma um gole.

— Sempre foi divertido estar em público com Julia antes, mas estar em público com vocês dois é completamente outra coisa — acrescenta ao abrir o cardápio.

— Eu gosto que estejamos famosos por associação — diz Dane, e eu o chuto sob a mesa. — Ai. Droga, Russo, isso doeu.

— Ninguém é famoso. É apenas uma cidade pequena sem muita coisa acontecendo. Isso é uma coisa importante somente agora. O assunto vai morrer — complementa Julia.

E eu achei que ela realmente acreditava nisso.

Eu sabia que a nossa história nunca ia morrer e que a cada marco que cruzássemos juntos a cidade estaria ao nosso lado, nos aplaudindo.

Tínhamos nascido no tipo de circunstância na qual as lendas e o folclore da cidade eram feitos. Nossas escolhas daqui para a frente contariam nossa história de amor em vez de nossa destruição mútua.

— Você sabe o que vai querer? — pergunto, enquanto ela lê o cardápio. Eu nem preciso olhar; alterno entre três coisas cada vez que comia nessa lanchonete.

Ela fecha o cardápio e o coloca em cima da mesa.

— Eu quero *waffles*. Com muita manteiga. E calda. O que acha? Jogo meu braço ao redor de seus ombros e a puxo contra mim.

— Acho ótimo.

— É nojento vocês dois juntos! — Jeanine finge vomitar.

— Pelo menos você só está tendo que lidar com isso agora — Dane se dirige diretamente a ela. — Estou sentado aqui, agradecendo que eles finalmente estão juntos, assim eu não tenho que ouvi-lo se queixando de que não a tem.

Pego meu guardanapo e jogo na cabeça de Dane.

— Não pode me culpar por saber o que eu quero. Eu nem posso dizer o mesmo sobre você.

— Não é minha culpa que todas as garotas da cidade sejam um saco — reclama Dane. Jeanine faz um barulho, ofendida. — Tirando a companhia presente.

— Desculpas aceitas. — Ela o cutuca com o ombro quando a campainha da porta da lanchonete tilinta, capturando minha atenção.

Vejo quando Todd Lestare entra sozinho. Enquanto a garçonete o acompanha até a mesa, ele nos nota e para de segui-la, apoiando a mão na beira da nossa mesa.

— Bem — diz ele, observando nós quatro antes de se concentrar apenas no braço que eu tinha em volta dos ombros de Julia —, isso não é uma surpresa?

Meu pescoço estala quando eu o movimento de um lado para o outro, meu corpo endurece em resposta à sua presença. Eu ainda odeio o cara tanto quanto na época do colégio.

— Julia — ronrona ele —, tão linda como sempre.

Esse canalha tinha acabado de ronronar para a minha garota, e eu sinto minha raiva mais do que apenas aumentar: ela explode através do telhado e destrói a cidade por completo. Quero sair da mesa, mas estou preso entre a parede e Julia.

Minhas mãos agarram a mesa, meu corpo precisando de algo para esmagar enquanto eu grito:

— Não fale com ela. Eu te disse isso no colégio, não disse?

Ele dá uma gargalhada.

— O colégio foi há muito tempo, Russo. Se Julia não quiser que eu fale... — ele começa, mas para no instante em que Julia se levanta da mesa e fica bem na cara dele, seu dedo cutucando-o no peito.

— James me contou o que você disse sobre mim. Ele me contou o que você queria naquela época. Você é um babaca. Eu nunca estive interessada em você. E já te disse isso cem vezes, mas você nunca escuta. E, agora, eu sei por quê. Eu sempre fui algum tipo de jogo para você. — Seu tom se torna frio como gelo. — Posso não deixar meu namorado bater em você, como eu sei que ele está morrendo de vontade de fazer agora — ela olha para mim, meus olhos frios como pedras —, mas eu não estou acima disso. — Julia se infla, sua postura na defensiva.

— Você está errada, Julia. Não sobre o colégio, mas sobre agora. — Ele soa menos do que convincente, e eu sei que ele está apenas tentando evitar ser humilhado na frente dos outros fregueses da lanchonete.

Ainda bem que Julia também sabe disso.

— Eu acho que não. Fique bem longe de mim, ou da próxima vez vou deixar meu namorado fazer o que ele quiser com você.

Esperei Lestare dizer algo em resposta, mas ele não disse, o que era a coisa mais esperta que ele já tinha feito em sua vida. Vimos quando ele enfiou o rabo entre as pernas e saiu sorrateiramente, resmungando consigo mesmo.

Julia deslizou de volta para o meu lado e eu praticamente me desfiz. Eu ainda tinha tanto a aprender sobre ela.

— Puta merda. Fiquei excitado agora. Dar um show para a cidade inteira... Isso foi um tesão.

— Por favor, recompense-a mais tarde, quando eu não estiver sentada aqui e sendo forçada a assistir — Jeanine implora. — Mas isso

147

foi totalmente foda. — Ela joga o punho no ar e Julia bate de volta com um sorriso que toma todo o seu rosto.

— Lembre-me de não mexer com você — diz Dane, enquanto termina seu copo de água.

Julia age como se nada tivesse acontecido.

— Todos sabem o que querem? Porque eu ainda estou morrendo de fome — pergunta ela, e todos balançamos a cabeça em conjunto.

Pedimos nossa comida e a garçonete deu à Julia um ágil *high five* debaixo da mesa, onde ninguém mais podia ver. Aparentemente, Todd tinha tirado a virgindade dela na escola e depois nunca mais falara com a garota. Ela disse que quis cuspir em sua comida sempre que ele entrava na lanchonete, mas alegou que nunca seguiu em frente. Eu dei a ela permissão para fazer isso desta vez.

Julia e eu atualizamos nossos melhores amigos em relação ao que havia acontecido na noite anterior com nossos pais, incluindo detalhes sobre a aposta, já que Jeanine nunca conhecera a história completa. Dane me deu um olhar de sabichão quando soube que ele estivera certo o tempo todo, supondo que Julia realmente não soubesse. Eu o chutei mais uma vez sob a mesa como brinde.

— Pare de me chutar — ele chia, enfiando a mão debaixo da mesa para esfregar a canela.

— Pare de me incomodar — eu provoco.

— Estou tão feliz que acabamos com todo o ódio — proclama Jeanine.

De repente, percebo quão difícil deve ter sido para eles serem nossos amigos mais próximos. Ambos tinham sido colocados em uma guerra com a qual eles não tinham nada a ver, sendo forçados a escolher um lado.

Eu estava prestes a agradecer a eles por nos ajudar, quando a garçonete apareceu e começou a distribuir nossa comida. Todos os outros sons morreram quando atacamos nossos cafés da manhã, o prazer escapando dos nossos lábios. Assisti Julia comer o último pedaço de seu enorme *waffle*, e era uma excitação total ver uma mulher saboreando sua comida. A parte mais fofa poderia ter sido quando ela derramou calda em sua camisa. Ela se importou por dois segundos antes de encolher os ombros para mim e levar com o garfo outro pedaço à boca. Eu ri e jurei que tinha me apaixonado ainda mais por ela naquele momento.

Paguei a conta e nós saímos depois de responder às perguntas de cada pessoa na lanchonete. A maioria nos parabenizou, nos disse para estender os votos de felicidades aos nossos pais antes de comentar sobre o casal *adorável* que nós formávamos.

— Eu deveria buscar meu carro? — pergunta Julia, olhando para mim e para Jeanine.

— Não — Jeanine responde. — Você vai para casa com ele e eu levo seu carro e suas coisas.

— Tem certeza? Como você vai voltar para casa?

Ela acena com a cabeça na direção de Dane.

— Esse cara se ofereceu para me levar.

— O.k., então... — Julia sorri para a melhor amiga antes de me lançar um olhar interrogativo —, se você tem certeza.

— Vocês dois vão embora! — Jeanine bate no braço de Julia e nós rimos antes de ir em direção ao meu carro.

Fui até o lado do passageiro, apertei o botão do controle remoto e abri a porta dela. O som de alguém gritando nossos nomes nos deteve.

— Julia! James! Esperem!

— É a Ginny Stevens — Julia diz ao mesmo tempo que eu percebo quem é.

Imaginei se ela ia nos perguntar sobre o nosso jantar da outra noite ou se tinha uma pergunta real de negócio para nós.

Ficamos parados e esperamos que ela nos alcançasse.

— Oi! Só vim ver por mim mesma. — Ela olha para nossas mãos, que não estão entrelaçadas. — Isso é verdade? — pergunta, seus olhos arregalados como se esperasse por uma resposta.

Ela não tinha vindo falar sobre vinho. Ela queria ter algo sobre o que fofocar.

— O que é verdade? — finjo não saber o que ela queria dizer.

— Que você e Julia são oficialmente um casal? Vocês assumiram para a cidade inteira durante o café da manhã na lanchonete? Fizeram

149

uma declaração de amor antes de pendurar Todd Lestare pelas bolas? Queria ter visto isso. — Gina falava mil palavras por minuto, seus olhos tão selvagens quanto seus cabelos. — Nunca gostei muito daquele garoto. Por que vocês não fizeram essa declaração no meu restaurante? Teria sido bom para os negócios.

— Desculpe, Ginny. Nós nos asseguraremos de que a nossa primeira refeição em família seja na sua casa, está bem? — Julia responde por nós dois.

— Você quer dizer... os Russo e os La Bella em uma mesa? Juntos, sem matar uns aos outros? — Junta as mãos em deleite.

— Sim.

— Isso será simplesmente perfeito! Eu perdoo vocês dois. — Ela dá um aperto em cada um de nós antes de se lembrar por que tinha vindo. — Esperem! Vocês não me responderam. Vocês estão juntos? Preciso ouvir isso por mim mesma.

— Nós muito definitivamente estamos — respondo antes de puxar Julia para os meus braços.

— Sim! — Ginny levantou o punho no ar. — Eu ganhei! Ganhei a aposta e todo o dinheiro! Sabia que eu ia ganhar! Eu sabia que vocês dois não me decepcionariam!

— Ficamos felizes que pudemos ser úteis — Julia diz com uma risada.

Ginny vai embora cantando:

— Eu ganhei, eu ganhei, eu ganhei.

Mas eu sabia qual era a verdade; eu era o vencedor nesse cenário.

Eu consegui a garota.

Depois de todo esse tempo, finalmente tinha conseguido. E nada nem ninguém jamais mudaria isso.

EPÍLOGO

O meu paraíso é onde você estiver.
ROMEU E JULIETA DE WILLIAM SHAKESPEARE

JAMES ME PEDIU EM CASAMENTO MENOS DE UM ANO depois, alegando que desperdiçamos muitos dias separados, e que ele não queria mais desperdiçá-los. Eu me recusei a argumentar contra seu raciocínio, especialmente quando concordava de todo o coração. As pessoas sempre diziam que, quando você acha a pessoa certa, você simplesmente sabe. E James e eu sabíamos.

Assim que consertamos a rixa entre nossas famílias, o plano era ir adiante a todo o vapor — na vida, na nossa carreira e no amor. Tudo o que negamos durante toda a nossa vida pegou fogo, e uma nova paixão se acendeu em seu rastro. A cidade praticamente deu uma festa em nossa homenagem e Ginny se assegurou de que todos soubessem que ela tinha ganhado a aposta.

O pedido de casamento foi romântico, doce e muito a cara do James. Ele definiu a coisa toda para parecer aquela noite no colegial, quando ele *aparentemente* confessou seus sentimentos por mim, e eu *supostamente* parti seu coração. Como eu tinha muito pouca memória de toda a noite, não assumi a inteira responsabilidade por ela, torturando-o toda vez que ele mencionava isso.

— Eu precisava fazer uma reconstituição com um jeito melhor de terminar desta vez — disse, enquanto me conduzia até um cobertor no chão, cercado por quatro garrafas vazias de vinho espalhadas aos nossos pés.

Eu ri, completamente sem noção do que ele estava prestes a perguntar.

Ele se ajoelhou entre filas de videiras, com minha mão na dele, e prometeu que eu me lembraria disso tudo desta vez. Mas eu não lembrei, porque, quando o homem que você ama mais do que qualquer coisa no mundo fica de joelhos e começa a dizer todo tipo de coisas lindas, seu cérebro não consegue registrá-las todas. Foi como se eu parasse de processar qualquer som, e tudo o que vi foi um mar azul e toda a esperança que os olhos dele tinham. Eu poderia dizer cada cor e tom dos seus olhos antes que pudesse repetir uma fração do que ele me disse naquele dia.

Mas eu me lembrei de dizer "sim".

Sem pensar duas vezes.

— Sim, sim! Um milhão de vezes sim! — grito enquanto ele pula, ainda segurando minha mão esquerda.

— Isso quer dizer para sempre — disse enquanto colocava o antigo anel de platina e diamante no meu dedo.

— Eu não subtrairia um único dia — falo antes que sua boca avidamente capture a minha com amor e luxúria suficientes para colocar fogo na vinha.

<hr />

Planejamos nos casar bem no alto da linha da propriedade que atualmente dividia as terras dos Russo e dos La Bella. Nós queríamos começar nossa vida legal entre os dois vinhedos, ele de pé no meu lado das terras e eu de pé no lado das dele. Parecia simbólico nos unirmos como um só no lugar exato que tinha separado nossas famílias por tanto tempo. James e eu estávamos nos fundindo e, em breve, a terra também. Não haveria mais divisão — não nos nomes, propriedades ou famílias.

A recepção seria no celeiro. Nossas mães tinham se tornado as loucas do casamento, amarrando pequenas luzes brancas nas vigas, secando flores silvestres frescas e pendurando-as por todo o lugar, embora o casamento de verdade ainda estivesse a meses de distância. Parecia uma cena saída diretamente de um filme.

— Acha que eles vão se aposentar? — Meu noivo passa os braços em volta de mim por trás e beija minha nuca.

— Provavelmente não.

— Se dermos netos a eles, talvez eles vão embora. — Ele ri na minha orelha, mordiscando o lóbulo, e eu me desvencilho para fora de seu alcance antes de me virar para encará-lo.

— Acho que ter netos vai causar exatamente o efeito oposto. Aí é que eles nunca vão embora.

Ele olha para mim com um brilho nos olhos.

— Vamos apenas dizer a eles que não podem ver as crianças a menos que se aposentem. Que bons avós não trabalham e devem passar o tempo todo cuidando dos seus netos e brincando com eles.

Eu bato em seu ombro.

— Você é horrível. Mas eu gosto do seu estilo. E... *crianças* no plural? Quantos bebês você acha que teremos?

Seu rosto se ilumina quando diz:

— Tipo, cinco. — Dá um tapinha na minha barriga e eu não tenho ideia se ele está falando sério ou não.

— Cinco? — Eu engasgo, meio aterrorizada e meio excitada com a ideia.

Ser filha única tinha sido meio solitário e eu sempre quis ter irmãos. Uma família grande parecia muito legal.

— Acho que podíamos começar com três. — Ele finge estar desapontado, e eu reviro os olhos e balanço a cabeça.

No fundo, eu sabia que faria qualquer coisa que ele quisesse, e que esse número de cinco crianças, muito embora soasse completamente extraordinário e insano, poderia ser exatamente o número de filhos com o qual ele terminaria. Só o tempo diria.

— Eu vou verificar o vinho. — Dou-lhe um selinho rápido nos lábios antes de ir para o prédio de engarrafamento do lado da La Bella.

James e eu tínhamos muitos planos quando se tratava dos vinhedos e do nosso vinho. Eu acabei fazendo uma tonelada de pesquisas de mercado e cheguei à conclusão de que a fusão das nossas duas bem-sucedidas vinícolas em uma única não seria a decisão financeira mais inteligente neste momento ou em qualquer momento no futuro. Nós planejamos continuar a engarrafar cada vinhedo separadamente, mas também criar várias combinações de edição limitada sob o nosso novo selo, La Bella-Russo.

Parecia que a ideia mais inteligente era ter três marcas de vinho para venda e distribuição, em vez de apenas uma. Nosso primeiro lote de vinho tinto combinando as duas vinícolas estava atualmente envelhecendo, e eu sabia que, embora não devesse ter favoritos, o selo La Bella-Russo seria meu orgulho e alegria. Eu sorri para mim mesma perdida em pensamentos sobre tudo o que o nosso futuro guardava enquanto fazia meu caminho em direção ao barril de vinho que envelhecia a minha criação mais recente.

James e eu tínhamos conversado incessantemente sobre todos os edifícios em nossas respectivas propriedades e sobre como nós lidaríamos com eles assim que nossos pais finalmente nos entregassem as chaves do castelo, por assim dizer. Depois do casamento, planejamos morar juntos no meu bangalô até a hora de assumir o controle. Eventualmente, nós nos mudaríamos para a casa principal do lado Russo, uma vez que ela havia sido reformada recentemente e tinha o maior número de quartos — seis. Se eu ia parir bebês a torto e a direito, eles precisavam de um lugar para ficar, e a casa principal dos La Bella tinha apenas três quartos, o que fez dela o local perfeito para a nossa nova sala de degustação.

A antiga casa da minha família seria convertida em um incrível espaço de degustação para ambas as vinícolas, incluindo áreas separadas para hospedagem de festas e aulas particulares que Jeanine planejava oferecer sobre harmonização de vinho com comida.

Ela também queria organizar festas de despedida de solteira, chás de panela e aulas apenas para casais, e eu lhe disse que, uma vez que a estrutura estivesse montada, ela podia pirar. Falando em pirar, ela e Dane tinham começado a namorar recentemente, depois de meses e meses e m-e-s-e-s de flerte incessante e irritante. James e eu ficamos aliviados quando Jeanine finalmente cedeu e chamou Dane para sair, dizendo que já estava cansada de esperar que ele sacasse a dica. Ainda bem que ele disse "sim".

Peguei uma taça de degustação antes de deixar que uma pequena quantidade do líquido vermelho escuro escorresse do barril. Eu estava nervosa pensando que a mistura ainda não estivesse pronta. Ontem ela tinha estado tão perto, mas não exatamente lá. Minha mente perambulou até o celeiro, e eu vi meu homem sentado em seu estúdio particular de pintura no andar de cima, criando novas peças lindas que nós ofereceríamos para venda em nossa loja de presentes abaixo. Eu me perguntei se algum dos nossos futuros filhos herdaria seu talento artístico.

Olhando para o meu espaço de trabalho, notei o protótipo de um rótulo La Bella-Russo que eu tinha feito com uma das pinturas de James. Assim como havia prometido a ele, usaria sua arte em todos os vinhos La Bella-Russo e, eventualmente, expandiria para colocá-las em itens mais exclusivos. Ninguém amava mais o seu talento do que eu, e queria que o mundo inteiro visse isso.

Permitindo que o vinho descansasse por um minuto, tomei um gole, percebendo que apenas vinte e quatro horas tinham feito o truque. Estava quase perfeito.

Meu noivo entrou, perambulando.

— Isso está pronto? — pergunta.

— Venha provar você mesmo. — Eu estendo a pequena taça de degustação e ele a pega, fazendo-a rodopiar vigorosamente antes de beber tudo.

Ele se serve mais antes de dizer:

— Isso é épico.

— Eu sei. É muito bom — concordo, sabendo muito bem que ganharia a próxima competição em que entrássemos.

— Você já o nomeou? — ele me dá um meio sorriso.

— Mais ou menos, mas eu queria ver uma coisa com você primeiro. — Franzo o rosto e espero por sua resposta.

— Estou ouvindo — ele diz, enquanto se serve de mais meia taça, cheirando e rodopiando antes de beber tudo.

— Eu estava pensando que todas as nossas combinações da La Bella-Russo deveriam ser nomeadas em homenagem à nossa antiga rivalidade. Uma espécie de homenagem à história das nossas famílias e a tudo o que passamos para chegar a este ponto. Isso é estúpido?

— Isso é brilhante. Eu amo isso. Então, poderíamos chamá-las de coisas como *Romeu e Julieta*? Tipo isso? — Ele começa a dar sugestões que eu amo, mas precisarei checar os trâmites legais antes de usá-las.

— Exatamente isso.

— Então, em que nome você estava pensando? — Ele segura sua taça no ar, e eu sussurro minha ideia no seu ouvido.

— Eu amo. É perfeito.

Agradecimentos

Às vezes, as coisas não funcionam e elas precisam ser mudadas, altera-das, ajustadas, mexidas! Muito obrigada à minha designer de capa Michelle Warren, por trabalhar sua mágica, como de costume. Jovana, obrigada por editar loucamente — sei que isso estava uma bagunça. Muito amor e gratidão aos meus leitores beta; Krista Arnold, Denise Tung e Kristie Wittenberg — vocês aguentaram de forma robusta quando eu precisei de vocês. Obrigada por deixarem tudo e me ajudar.

Obrigada a todos os meus "gatinhos" e a cada um de vocês que por acaso leem meus livros. Eu sou muito grata. Sei que há literal-mente um montão de livros para escolher, mas eu me sinto honrada toda vez em que vocês escolhem ler um meu. :)

Blake, você se mudou, me abandonou e estou simultaneamente feliz e triste com isso. Mas principalmente estou orgulhosa. Mal posso esperar para vê-lo jogando beisebol neste ano! E parabéns por lançar seu primeiro livro de poesia — é preciso coragem para se expor dessa maneira. Eu acho você tão talentoso! Espero que nunca pare de escrever ou de perseguir seus sonhos. Tenho muita sorte por você ser meu filho.

Brett, você voltou à minha vida com força e com um monte de tempo perdido para compensar. Eu estou obcecada pelo jeito como você me ama. Espero que você nunca pare. Obrigada por me escolher. Obrigada por me inspirar, me ouvir e me ajudar — mesmo quando eu lhe digo que eu não quero ou não preciso da sua ajuda. Às vezes sou teimosa e, em vez de ficar bravo, você simplesmente ENTENDE. Eu não tenho certeza do que eu fiz para merecer ter você como meu parceiro, mas nunca vou abrir mão de nós. Eu te amo. Ferozmente. E para sempre.

LEIA TAMBÉM J. STERLING:

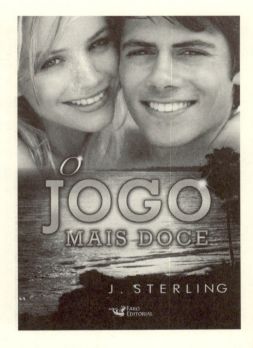

ASSINE NOSSA NEWSLETTER E RECEBA INFORMAÇÕES DE TODOS OS LANÇAMENTOS

www.faroeditorial.com.br